사고력 수학 소마가 개발한 연산학습의 새 기준!!

소마의 **마술**같은 원리**셈**

소마셈

A6
1학년

KB094375

수학이 즐거워지는 특별한 수학교실
소마에서 개발한 연산교재 소마셈 **소마셈**

2002년 대치소마 개원 이후로 끊임없는 교재 연구와 교구의 개발은 소마의 자랑이자 자부심입니다. 교구, 게임, 토론 등의 다양한 활동식 수업으로 스스로 문제해결능력을 키우고, 아이들이 수학에 대한 흥미와 자신감을 가질 수 있도록 차별성 있는 수업을 해 온 소마에서 연산 학습의 새로운 패러다임을 제시합니다.

연산 교육의 현실

연산 교육의 가장 큰 폐해는 '초등 고학년 때 연산이 빠르지 않으면 고생한다.'는 기존 연산 학습지의 왜곡된 마케팅으로 인해 단순 반복을 통한 기계적 연산을 강조하는 것입니다. 하지만, 기계적 반복을 위주로 하는 연산은 개념과 원리가 빠진 연산 학습으로써 아이들이 수학을 싫어하게 만들 뿐 아니라 사고의 확장을 막는 학습방법입니다.

초등수학 교과과정과 연산

초등교육과정에서는 문자와 기호를 사용하지 않고 말로 풀어서 연산의 개념과 원리를 설명하다가 중등 교육과정부터 문자와 기호를 사용합니다. 교과서를 살펴보면 모든 연산의 도입에 원리가 잘 설명되어 있습니다. 요즘 현실에서는 연산의 원리를 묻는 서술형 문제도 많이 출제되고 있는데 연산은 연습이 우선이라는 인식이 아직도 지배적입니다.

연산 학습은 어떻게?

연산 교육은 별도로 떼어내어 추상적인 숫자나 기호만 가지고 다뤄서는 절대로 안됩니다. 구체물을 가지고 생각하고 이해한 후, 연산 연습을 하는 것이 필요합니다. 또한, 속도보다 정확성을 위주로 학습하여 실수를 극복할 수 있는 좋은 습관을 갖추는 데에 초점을 맞춰야 합니다.

소마셈 연산학습 방법

10이 넘는 한 자리 덧셈   구체물을 통한 개념의 이해

덧셈과 뺄셈의 기본은 수를 세는 데에 있습니다. 8+4는 8에서 1씩 4번을 더 센 것이라는 개념이 중요합니다. 10의 보수를 이용한 받아 올림을 생각하면 8+4는 (8+2)+2지만 연산 공부를 시작할 때에는 덧셈의 기본 개념에 충실한 것이 좋습니다. 이 책은 구체물을 통해 개념을 이해할 수 있도록 구체적인 예를 든 연산 문제로 구성하였습니다.

가로셈   가로셈을 통한 수에 대한 사고력 기르기

세로셈이 잘못된 방법은 아니지만 연산의 원리는 잊고 받아 올림한 숫자는 어디에 적어야 하는지만을 기억하여 마치 공식처럼 풀게 합니다. 기계적으로 반복하는 연습은 생각없이 연산을 하게 만듭니다. 가로셈을 통해 원리를 생각하고 수를 쪼개고 붙이는 등의 과정에서 키워질 수 있는 수에 대한 사고력도 매우 중요합니다.

곱셈구구   곱셈도 개념 이해를 바탕으로

곱셈구구는 암기에만 초점을 맞추면 부작용이 큽니다. 곱셈은 덧셈을 압축한 것이라는 원리를 이해하며 구구단을 외움으로써 연산을 빨리 할 수 있다는 것을 알게 해야 합니다. 곱셈구구를 외우는 것도 중요하지만 곱셈의 의미를 정확하게 아는 것이 더 중요합니다. 4×3을 할 줄 아는 학생이 두 자리 곱하기 한 자리는 안 배워서 45×3을 못 한다고 말하는 일은 없도록 해야 합니다.

K단계 (5, 6, 7세) • 연산을 시작하는 단계

뛰어세기, 거꾸로 뛰어세기를 통해 수의 연속한 성질(linearity)을 이해하고 덧셈, 뺄셈을 공부합니다. 각 권의 호흡은 짧지만 일관성 있는 접근으로 자연스럽게 나선형식 반복학습의 효과가 있도록 하였습니다.

학습대상 : 연산을 시작하는 아이와 한 자리 수 덧셈을 구체물(손가락 등)을 이용하여 해결하는 아이
학습목표 : 수와 연산의 튼튼한 기초 만들기

P단계 (7세, 1학년) • 받아올림이 있는 덧셈, 뺄셈을 배울 준비를 하는 단계

5, 6, 9 뛰어세기를 공부하면서 10을 이용한 더하기, 빼기의 편리함을 알도록 한 후, 가르기와 모으기의 집중학습으로 보수 익히기, 10의 보수를 이용한 덧셈, 뺄셈의 원리를 공부합니다.

학습대상 : 받아올림이 없는 한 자리 수의 덧셈을 할 줄 아는 학생
학습목표 : 받아올림이 있는 연산의 토대 만들기

A단계 (1학년) • 초등학교 1학년 교과과정 연산

받아올림이 있는 한 자리 수의 덧셈, 뺄셈은 연산 전체에 매우 중요한 단계입니다. 원리를 정확하게 알고 A1에서 A4까지 총 4권에서 한 자리 수의 연산을 다양한 과정으로 연습하도록 하였습니다.

학습대상 : 초등학교 1학년 수학교과과정을 공부하는 학생
학습목표 : 10의 보수를 이용한 받아올림이 있는 덧셈, 뺄셈

B단계 (2학년) • 초등학교 2학년 교과과정 연산

두 자리, 세 자리 수의 연산을 다룬 후 곱셈, 나눗셈을 다루는 과정에서 곱셈구구의 암기를 확인하기보다는 곱셈구구를 외우는데 도움이 되고, 곱셈, 나눗셈의 원리를 확장하여 사고할 수 있도록 하는데 초점을 맞추었습니다.

학습대상 : 초등학교 2학년 수학교과과정을 공부하는 학생
학습목표 : 덧셈, 뺄셈의 완성 / 곱셈, 나눗셈의 원리를 정확하게 알고 개념 확장

C단계 (3학년) • 초등학교 3, 4학년 교과과정 연산

B단계까지의 소마셈은 다양한 문제를 통해서 학생들이 즐겁게 연산을 공부하고 원리를 정확하게 알게 하는데 초점을 맞추었다면, C단계는 3학년 과정의 큰 수의 연산과 4학년 과정의 혼합 계산, 괄호를 사용한 식 등, 필수 연산의 연습을 충실히 할 수 있도록 하였습니다.

학습대상 : 초등학교 3, 4학년 수학교과과정을 공부하는 학생
학습목표 : 큰 수의 곱셈과 나눗셈, 혼합 계산

D단계 (4학년) • 초등학교 4, 5학년 교과과정 연산

분모가 같은 분수의 덧셈과 뺄셈, 소수의 덧셈과 뺄셈을 공부하여 초등 4학년 과정 연산을 마무리하고 초등 5학년 연산과정에서 가장 중요한 약수와 배수, 분모가 다른 분수의 덧셈과 뺄셈을 충분히 익힐 수 있도록 하였습니다.

학습대상 : 초등학교 4, 5학년 수학교과과정을 공부하는 학생
학습목표 : 분모가 같은 분수의 덧셈과 뺄셈, 소수의 덧셈과 뺄셈, 분모가 다른 분수의 덧셈과 뺄셈

소마셈 단계별 학습내용

K단계 추천연령 : 5, 6, 7세

단계	K1	K2	K3	K4
권별 주제	10까지의 더하기와 빼기 1	20까지의 더하기와 빼기 1	10까지의 더하기와 빼기 2	20까지의 더하기와 빼기 2
단계	K5	K6	K7	K8
권별 주제	10까지의 더하기와 빼기 3	20까지의 더하기와 빼기 3	20까지의 더하기와 빼기 4	7까지의 가르기와 모으기

P단계 추천연령 : 7세, 1학년

단계	P1	P2	P3	P4
권별 주제	30까지의 더하기와 빼기 5	30까지의 더하기와 빼기 6	30까지의 더하기와 빼기 10	30까지의 더하기와 빼기 9
단계	P5	P6	P7	P8
권별 주제	9까지의 가르기와 모으기	10 가르기와 모으기	10을 이용한 더하기	10을 이용한 빼기

A단계 추천연령 : 1학년

단계	A1	A2	A3	A4
권별 주제	덧셈구구	뺄셈구구	세 수의 덧셈과 뺄셈	□가 있는 덧셈과 뺄셈
단계	A5	A6	A7	A8
권별 주제	(두 자리 수) + (한 자리 수)	(두 자리 수) – (한 자리 수)	두 자리 수의 덧셈과 뺄셈	□가 있는 두 자리 수의 덧셈과 뺄셈

B단계 추천연령 : 2학년

단계	B1	B2	B3	B4
권별 주제	(두 자리 수) + (두 자리 수)	(두 자리 수) – (두 자리 수)	세 자리 수의 덧셈과 뺄셈	덧셈과 뺄셈의 활용
단계	B5	B6	B7	B8
권별 주제	곱셈	곱셈구구	나눗셈	곱셈과 나눗셈의 활용

C단계 추천연령 : 3학년

단계	C1	C2	C3	C4
권별 주제	두 자리 수의 곱셈	두 자리 수의 곱셈과 활용	두 자리 수의 나눗셈	세 자리 수의 나눗셈과 활용
단계	C5	C6	C7	C8
권별 주제	큰 수의 곱셈	큰 수의 나눗셈	혼합 계산	혼합 계산의 활용

D단계 추천연령 : 4학년

단계	D1	D2	D3	D4
권별 주제	분모가 같은 분수의 덧셈과 뺄셈(1)	분모가 같은 분수의 덧셈과 뺄셈(2)	소수의 덧셈과 뺄셈	약수와 배수
단계	D5	D6		
권별 주제	분모가 다른 분수의 덧셈과 뺄셈(1)	분모가 다른 분수의 덧셈과 뺄셈(2)		

구성과 특징

수 이야기

생활 속의 수 이야기를 통해 수와 연산의 이해를 돕습니다. 수의 역사나 재미있는 연산 문제를 접하면서 수학이 재미있는 공부가 되도록 합니다.

②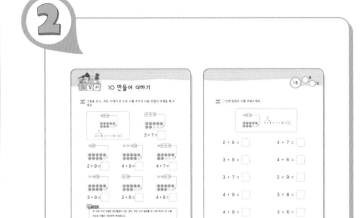

원리 & 연습

구체물 또는 그림을 통해 연산의 원리를 쉽게 이해하고, 원리의 이해를 바탕으로 연산이 익숙해지도록 연습합니다.

사고력 연산

반복적인 연산에서 나아가 배운 원리를 활용하여 확장된 문제를 해결합니다. 어려운 문제를 싣기보다 다양한 생각을 할 수 있는 내용으로 구성하였습니다.

Drill (보충학습)

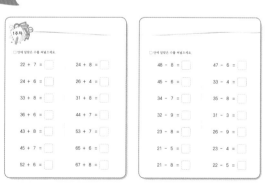

주차별 주제에 대한 연습이 더 필요한 경우 보충학습을 활용합니다.

TIP 연산과정의 확인이 필수적인 주제는 Drill 의 양을 2배로 담았습니다.

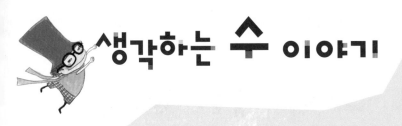

도전! 수 퍼즐

다음 수 퍼즐은 가로, 세로 열쇠에 맞는 두 자리 수를 써넣어 완성할 수 있어요.
알맞은 두 자리 수를 써넣어 퍼즐을 완성해 보세요.

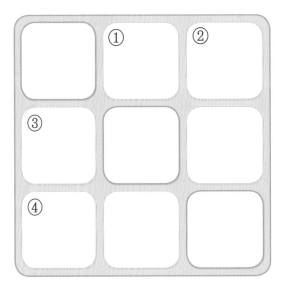

가로 열쇠

① 십의 자리 숫자가 5인 가장
  큰 두 자리 수

④ 십의 자리 숫자가 3인 가장
  작은 두 자리 수

세로 열쇠

② 십의 자리 숫자와 일의
  자리 숫자의 합이 9인
  두 자리 수

③ 십의 자리 숫자가 일의
  자리 숫자보다 1 큰 수

소마셈 A6 - 1주차

받아내림이 없는 뺄셈

(십몇) – (몇)

 그림을 보고 일의 자리 숫자끼리 빼서 뺄셈을 해 보세요.

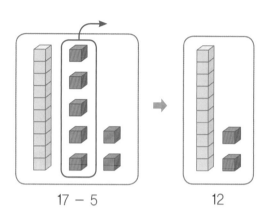

17 – 5

12

$17 - 5 = \boxed{12}$

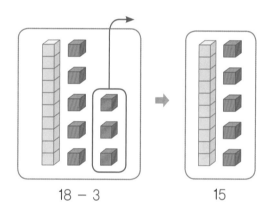

18 – 3

15

$18 - 3 = \boxed{}$

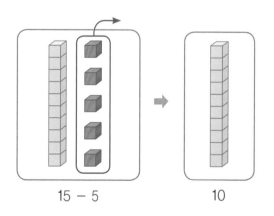

15 – 5

10

$15 - 5 = \boxed{}$

□ 안에 알맞은 수를 써넣으세요.

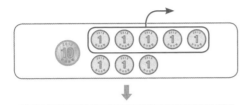

18 - 5 = 13

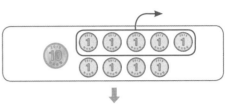

19 - 5 =

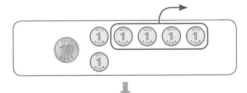

16 - 4 =

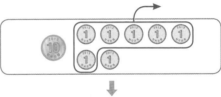

17 - 6 =

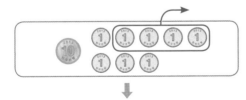

18 - 4 =

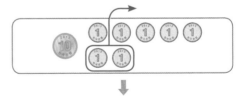

17 - 2 =

□ 안에 알맞은 수를 써넣으세요.

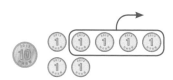

17 - 4 = 13

15 - 4 =

18 - 6 =

15 - 3 =

17 - 7 =

14 - 2 =

13 - 2 =

17 - 3 =

19 - 3 =

18 - 7 =

16 - 5 =

19 - 4 =

(몇십 몇) - (몇)

 그림을 보고 일의 자리 숫자끼리 빼서 뺄셈을 해 보세요.

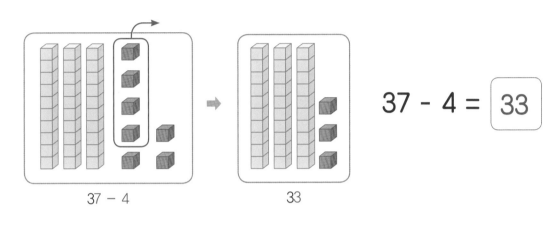

$$37 - 4 = \boxed{33}$$

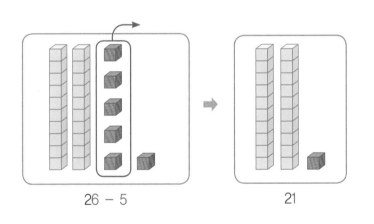

$$26 - 5 = \boxed{}$$

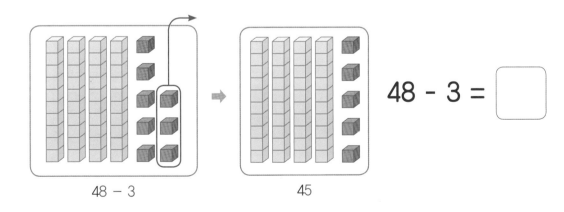

$$48 - 3 = \boxed{}$$

 □ 안에 알맞은 수를 써넣으세요.

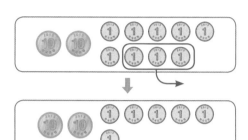

29 - 3 = 26

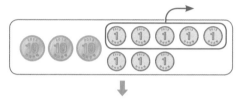

38 - 5 = ☐

35 - 2 = ☐

44 - 3 = ☐

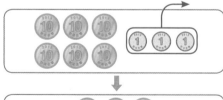

63 - 3 = ☐

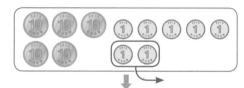

57 - 2 = ☐

□ 안에 알맞은 수를 써넣으세요.

36 - 4 = 32   25 - 4 = ☐

29 - 2 = ☐   39 - 5 = ☐

56 - 3 = ☐   48 - 2 = ☐

55 - 4 = ☐   64 - 4 = ☐

65 - 3 = ☐   76 - 3 = ☐

48 - 4 = ☐   89 - 3 = ☐

빈칸 채우기

🌱 ◯ 안에는 각 줄의 △ 안의 두 수의 차가 들어갑니다. ◯ 안에 알맞은 수를 써넣으세요.

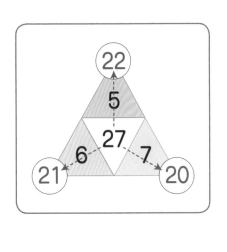

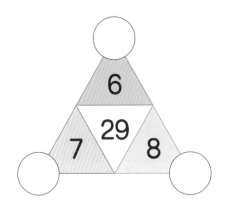

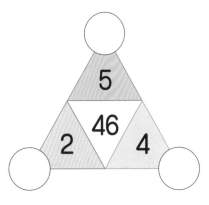

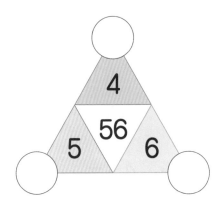

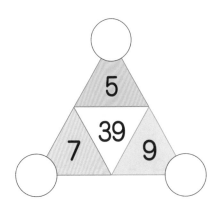

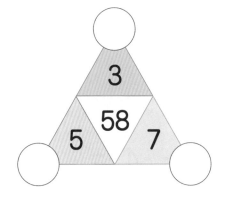

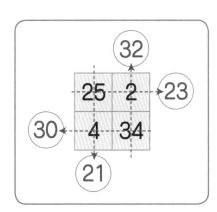

🌱 ○ 안에는 각 줄의 □ 안의 두 수의 차가 들어갑니다. ○ 안에 알맞은 수를 써넣으세요.

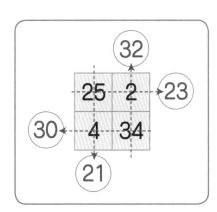

16 5
4 39

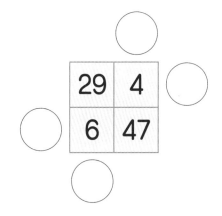

29 4
6 47

37 7
6 48

18 5
8 39

46 4
3 25

뺄셈 퍼즐

 빈칸에 알맞은 수를 써넣으세요.

39 - 5 = 34
−
4
＝
30

48 - 3 = ☐
−
4
＝
☐

57 - 3 = ☐
−
4
＝
☐

67
−
2
＝
☐ - 5 = ☐

46
−
3
＝
☐ - 3 = ☐

79
−
2
＝
☐ - 6 = ☐

올바른 계산 결과가 되도록 선을 그어 보세요.

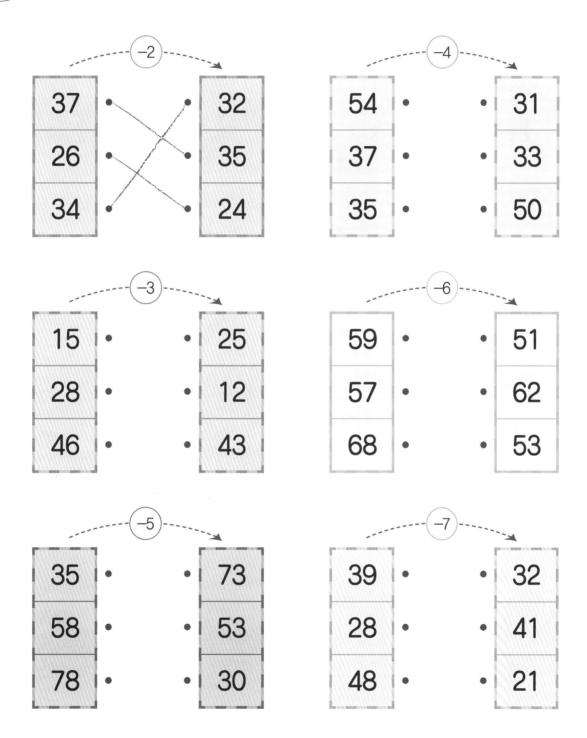

 올바른 계산 결과가 되도록 길을 그려 보세요.

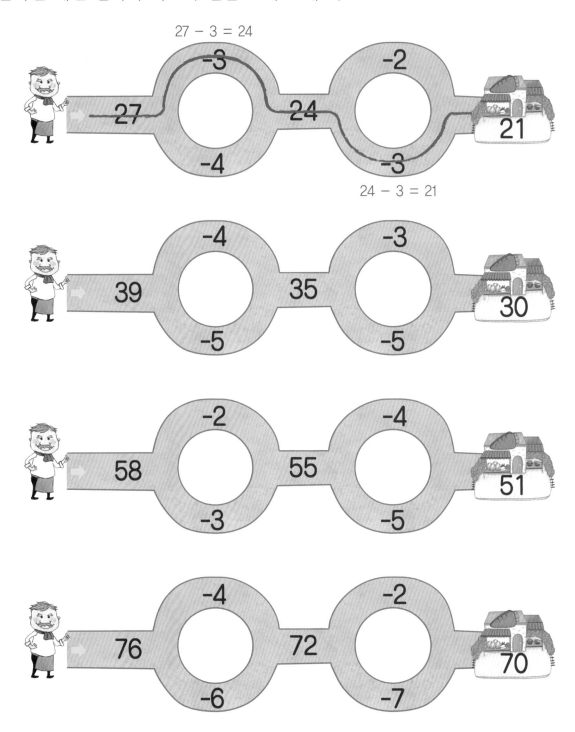

5 일 차 문장제

 이야기를 읽고, 민진이와 민수가 만들어 먹은 만두의 개수를 구하세요.

민진이와 동생 민수는 엄마를 도와 만두를 만들어 보기로 했습니다. 처음에는 어떻게 만들어야 할지 잘 몰라서 몇 번은 실수를 했지만 여러 번 해보니 제법 잘 만들 수 있었습니다.
둘은 한참을 만들어 모두 27개를 만들었습니다.
함께 만들어 놓은 만두를 보니 처음에 만들었던 만두 5개는 서툴러 완성되지 않아 나머지 만두만 쪄서 먹기로 했습니다.
민진이와 민수가 만들어 먹은 만두는 몇 개일까요?

식 : 27 - 5 = 22

☐ 개

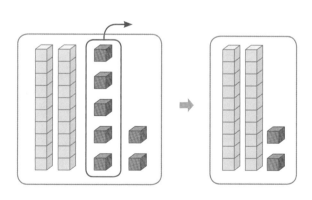

 다음을 읽고 알맞은 **뺄셈식**을 쓰고, 답을 구하세요.

도서관에 48명의 학생이 책을 보고 있습니다. 한 시간 후 5명이 집으로 돌아 갔다면 도서관에 남아 책을 보는 학생은 몇 명일까요?

식 :

☐ 명

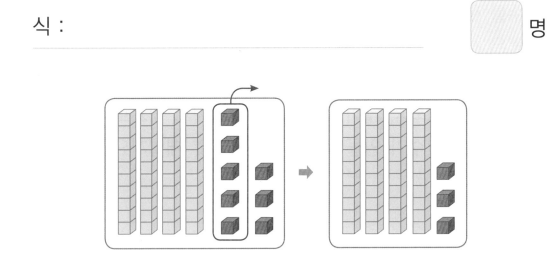

현수는 구슬 37개를 가지고 있습니다. 주성이는 현수보다 6개를 적게 가지고 있다면 주성이가 가진 구슬은 몇 개일까요?

식 :

☐ 개

다음을 읽고 알맞은 뺄셈식을 쓰고, 답을 구하세요.

주머니 안에 주황색 구슬과 빨간색 구슬이 모두 59개 있습니다. 그 중 7개가 주황색 구슬이라면 빨간색 구슬은 몇 개일까요?

식 : _____

☐ 개

연못에 거위 36마리가 있습니다. 그 중 3마리가 연못 밖으로 나갔다면 연못 안에 남아있는 거위는 몇 마리일까요?

식 : _____

☐ 마리

성수의 아빠는 46살입니다. 엄마는 아빠보다 5살이 적다면 성수의 엄마는 몇 살일까요?

식 : _____

☐ 살

 다음을 읽고 알맞은 **뺄셈식**을 쓰고, 답을 구하세요.

준기네 반 학생들은 모두 39명입니다. 그 중 3명이 아파서 결석을 했다면 학교에 온 준기네 반 학생들은 몇 명일까요?

식 :   명

준영이네 할머니 댁에는 44마리의 닭을 키우고 있습니다. 그 중 수탉이 4마리라면 암탉은 모두 몇 마리일까요?

식 :   마리

수지는 어제 영어 시험에서 25문제를 풀었습니다. 채점을 한 결과 4문제를 틀렸다면 맞은 문제는 모두 몇 개일까요?

식 :   개

소마셈 A6 – 2주차

10에서 빼기 (1)

10을 이용한 앞의 수 가르기

 10에서 **뺄** 수 있도록 앞의 수를 갈라 보세요.

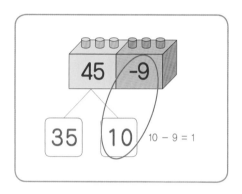

35 10   10 − 9 = 1

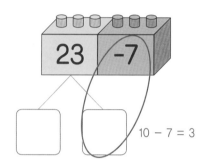

10 − 7 = 3

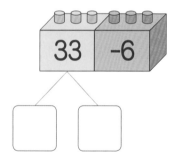

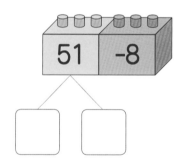

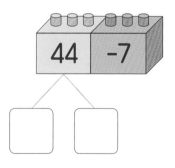

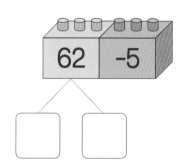

10에서 뺄 수 있도록 앞의 수를 갈라 보세요.

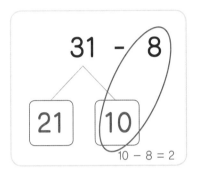

31 - 8

21 10

10 - 8 = 2

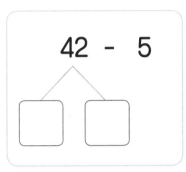

42 - 5

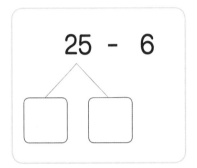

25 - 6

41 - 3

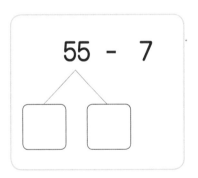

62 - 3

55 - 7

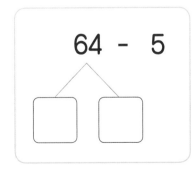

64 - 5

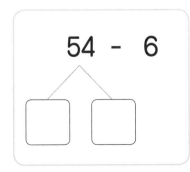

54 - 6

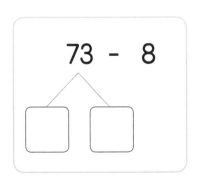

73 - 8

10에서 빼기

 그림을 보고 10에서 먼저 수를 빼서 뺄셈을 해 보세요.

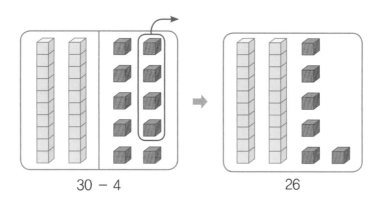

$$30 - 4 = 10 - 4 + 20 = \boxed{26}$$

20   10

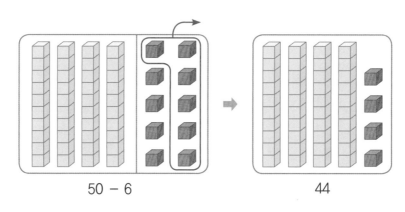

$$50 - 6 = 10 - 6 + 40 = \boxed{}$$

40   10

30 - 4 = □ 와 같이 (몇십) - (몇)을 계산할 때는, 몇십을 10과 다른 수로 갈라서 10에서 먼저 수를 빼서 계산합니다.

월
일

그림을 보고 10에서 먼저 수를 빼서 뺄셈을 해 보세요.

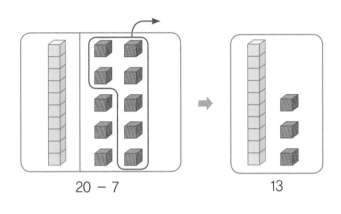

20 - 7

13

$20 - 7 =$ ☐

10   10

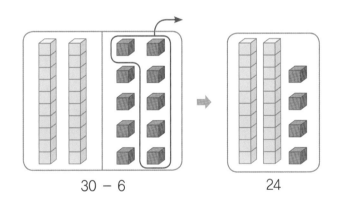

30 - 6

24

$30 - 6 =$ ☐

20   10

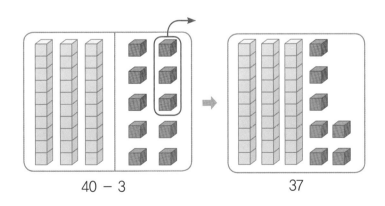

40 - 3

37

$40 - 3 =$ ☐

30   10

□ 안에 알맞은 수를 써넣으세요.

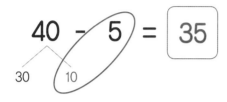

40 - 5 = 35

30 - 7 = [ ]

40 - 2 = [ ]

60 - 4 = [ ]

50 - 7 = [ ]

70 - 7 = [ ]

30 - 8 = [ ]

40 - 8 = [ ]

70 - 5 = [ ]

60 - 3 = [ ]

50 - 4 = [ ]

80 - 9 = [ ]

빈칸 채우기

🌱 ◯ 안에는 각 줄의 △ 안의 두 수의 차가 들어갑니다. ◯ 안에 알맞은 수를 써넣으세요.

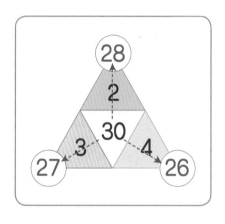

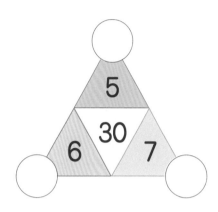

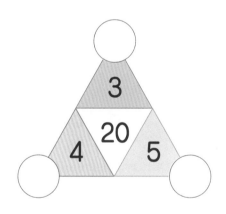

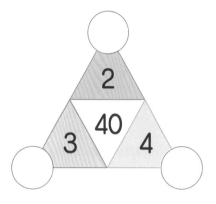

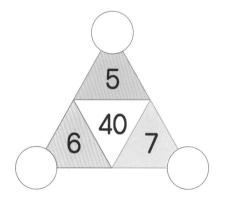

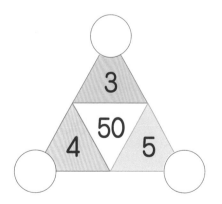

월

○ 안에는 각 줄의 □ 안의 두 수의 차가 들어갑니다. ○ 안에 알맞은 수를 써넣으세요.

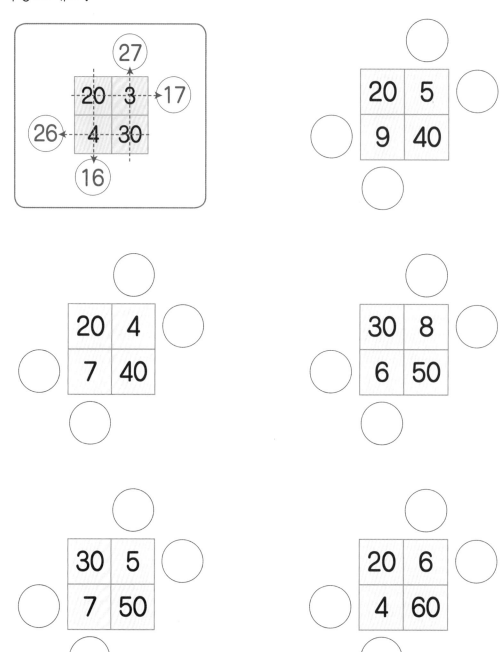

뺄셈 퍼즐

 □ 안에 알맞은 수를 써넣으세요.

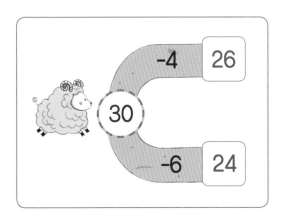

30 → -4 → 26
30 → -6 → 24

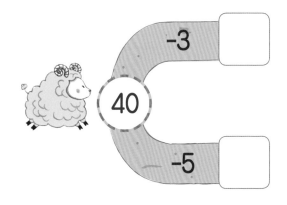

40 → -3 → □
40 → -5 → □

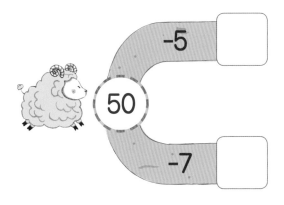

50 → -5 → □
50 → -7 → □

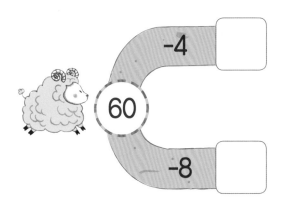

60 → -4 → □
60 → -8 → □

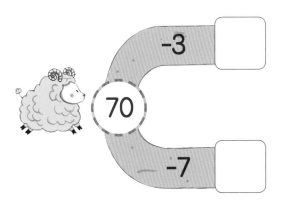

70 → -3 → □
70 → -7 → □

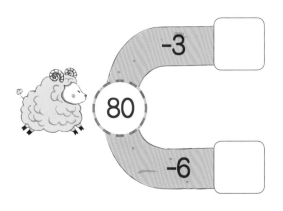

80 → -3 → □
80 → -6 → □

🌱 올바른 계산 결과가 되도록 길을 그려 보세요.

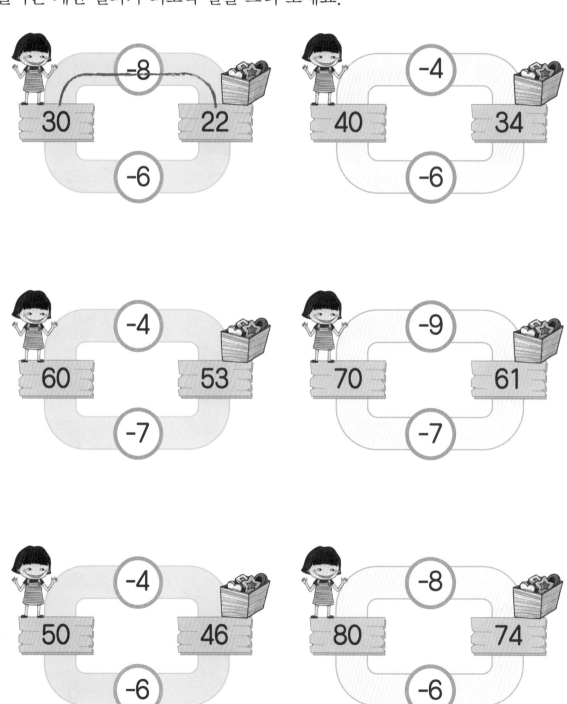

월
일

🌱 올바른 계산 결과가 되도록 선을 이어 보세요.

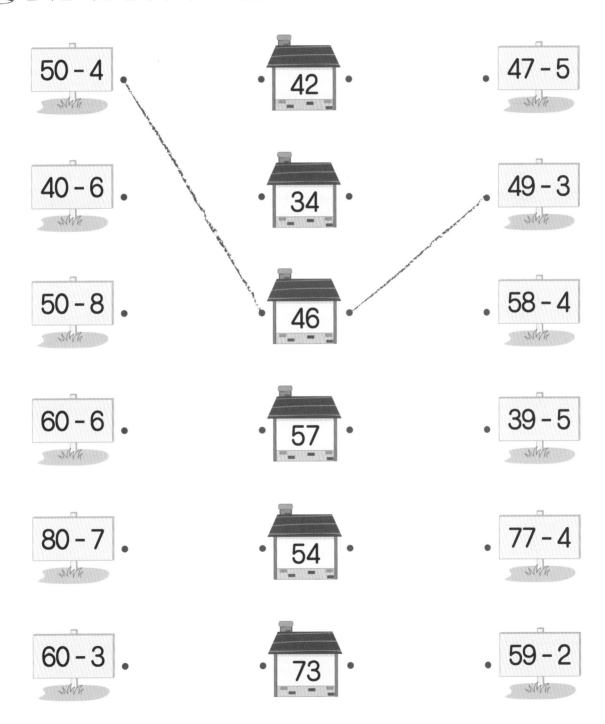

50 - 4

40 - 6

50 - 8

60 - 6

80 - 7

60 - 3

42

34

46

57

54

73

47 - 5

49 - 3

58 - 4

39 - 5

77 - 4

59 - 2

5 일 차 문장제

 이야기를 읽고, 과수원에 남은 복숭아나무는 몇 그루인지 구하세요.

수정이네 삼촌은 과수원을 하십니다.

과수원에는 복숭아나무가 50그루 심어져 있는데, 이번 여름 태풍이 와서 걱정이 이만 저만이 아닙니다.

수정이는 삼촌 댁에 전화를 걸었습니다.

"삼촌! 안녕하세요? 태풍이 지나갔다고 들었는데 과수원에 나무들은 괜찮나요?"

"수정이가 걱정해주니 고맙구나. 복숭아나무 7그루가 쓰러져 버렸지만 나머지는 괜찮단다."

수정이네 삼촌의 과수원에 남은 복숭아나무는 몇 그루일까요?

식 :   그루

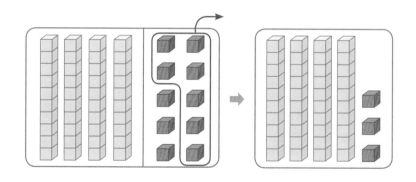

다음을 읽고 알맞은 뺄셈식을 쓰고, 답을 구하세요.

버스에 30명의 사람이 타고 있습니다. 다음 정류소에서 더 탄 사람은 없고 6명이 내렸다면 버스에 타고 있는 사람은 몇 명일까요?

식 :

 명

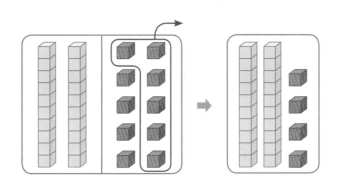

수현이네 반에서 모두 40명이 공원으로 소풍을 갔습니다. 그 중 2명은 선생님이라면 수현이네 반 학생들은 몇 명일까요?

식 :

 명

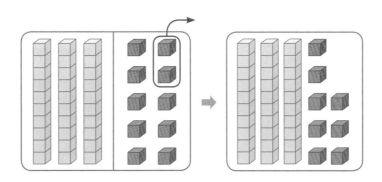

 다음을 읽고 알맞은 뺄셈식을 쓰고, 답을 구하세요.

기영이는 구슬 40개를 가지고 있습니다. 그 중 6개를 형에게 주었다면 기영이에게 남은 구슬은 몇 개일까요?

식 : _____   개

공원에 빨간 모자를 쓴 사람과 파란 모자를 쓴 사람이 모두 50명 있습니다. 그 중 8명이 빨간 모자를 썼다면 파란 모자를 쓴 사람은 몇 명일까요?

식 : _____   명

놀이공원에 회전목마를 타기 위해 60명이 줄을 서 있습니다. 잠시 후 기다리다 지쳐 9명이 집으로 돌아갔습니다. 남은 사람은 몇 명일까요?

식 : _____   명

 다음을 읽고 알맞은 뺄셈식을 쓰고, 답을 구하세요.

바구니에 귤이 40개 있었는데 배가 고픈 기형이가 9개를 먹었습니다. 바구니에 남은 귤은 몇 개일까요?

식 : _____   ☐ 개

정우네 할아버지는 60살입니다. 할머니는 할아버지보다 4살 더 적다면 정우네 할머니의 나이는 몇 살일까요?

식 : _____   ☐ 살

수희에게 사탕 30개가 있습니다. 친구들에게 하나씩 나누어 주고 보니 8개가 남았습니다. 수희가 사탕을 나누어준 친구들은 몇 명일까요?

식 : _____   ☐ 명

Note

소마셈 A6 - 3주차

몇십 만들어 빼기

□ 구하기

 그림을 보고 일의 자리 수의 차를 0으로 만들어 □를 구하세요.

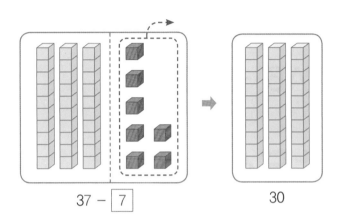

$$37 - \boxed{7} = 30$$

37 − ☐7 → 30

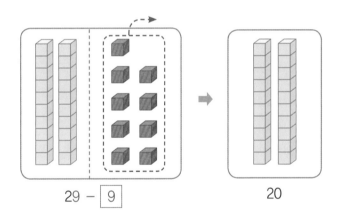

$$29 - \boxed{} = 20$$

29 − ☐9 → 20

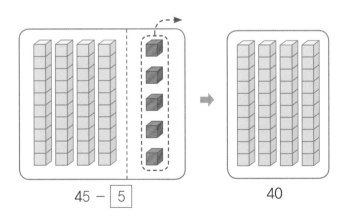

$$45 - \boxed{} = 40$$

45 − ☐5 → 40

□ 안에 알맞은 수를 써넣으세요.

35 - 5 = 30   43 - □ = 40

66 - □ = 60   46 - □ = 40

54 - □ = 50   28 - □ = 20

78 - □ = 70   88 - □ = 80

83 - □ = 80   67 - □ = 60

47 - □ = 40   79 - □ = 70

몇십 만들어 빼기

 그림을 보고 수를 몇십으로 만들어 뺄셈을 해 보세요.

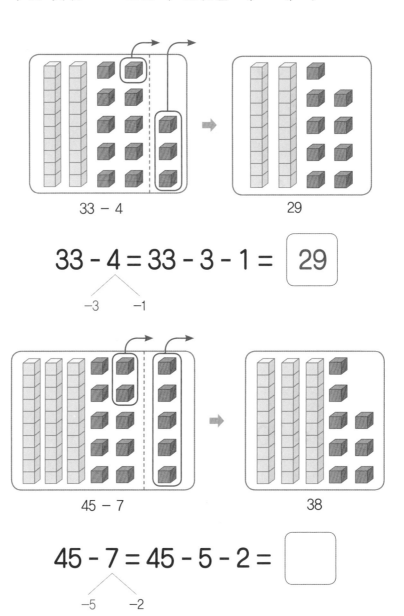

33 - 4   29

$$33 - 4 = 33 - 3 - 1 = \boxed{29}$$
$$\underset{-3 \quad\quad -1}{\wedge}$$

45 - 7   38

$$45 - 7 = 45 - 5 - 2 = \boxed{}$$
$$\underset{-5 \quad\quad -2}{\wedge}$$

TIP

33 - 4 = □ 처럼 일의 자리 수끼리의 차가 적은 경우는 10에서 빼는 방법(10 - 4 + 23)보다
몇십을 만들어 빼는 방법(33 - 3 - 1)으로 계산하면 편리합니다.

그림을 보고 수를 몇십으로 만들어 뺄셈을 해 보세요.

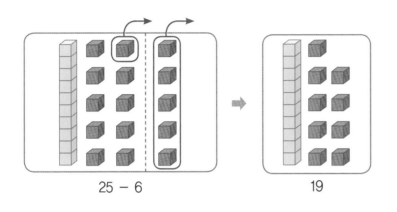

25 – 6

19

$25 - 6 = \boxed{}$

−5   −1

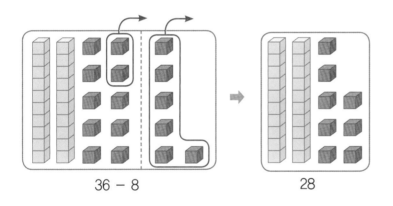

36 – 8

28

$36 - 8 = \boxed{}$

−6   −2

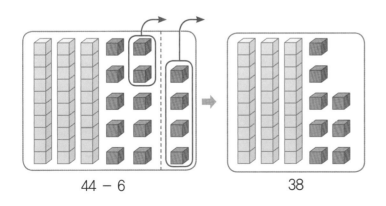

44 – 6

38

$44 - 6 = \boxed{}$

−4   −2

🌱 □ 안에 알맞은 수를 써넣으세요.

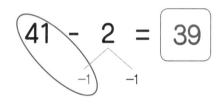

41 - 2 = 39

45 - 7 = ☐

61 - 2 = ☐

52 - 3 = ☐

54 - 6 = ☐

23 - 4 = ☐

53 - 5 = ☐

36 - 7 = ☐

43 - 6 = ☐

34 - 7 = ☐

57 - 8 = ☐

71 - 3 = ☐

뺄셈 퍼즐

 □ 안에 알맞은 수를 써넣으세요.

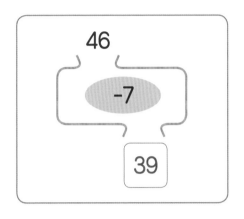

46 -7 39

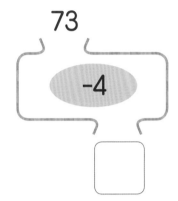

73 -4

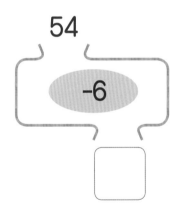

54 -6

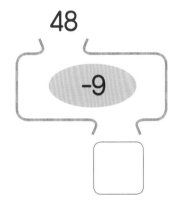

48 -9

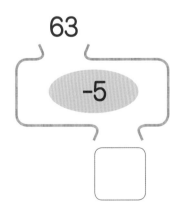

63 -5

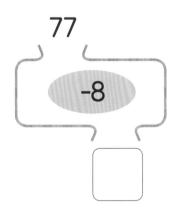

77 -8

올바른 계산 결과가 되도록 길을 그려 보세요.

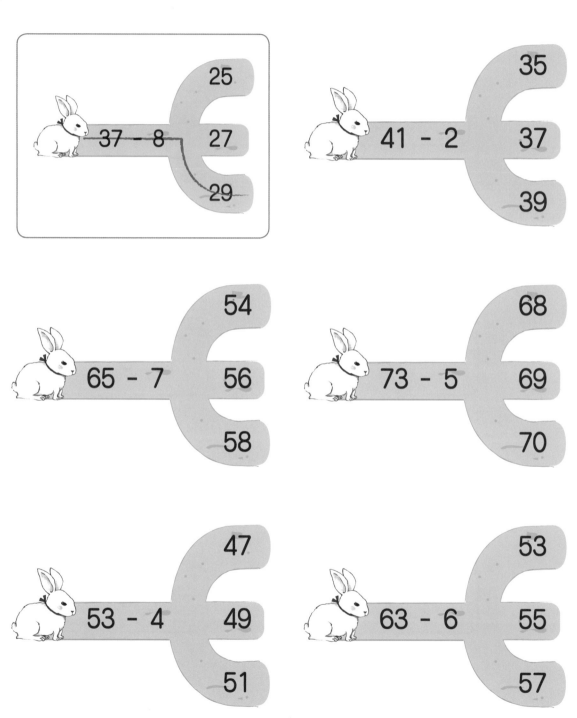

🌱 올바른 계산 결과가 되도록 길을 그려 보세요.

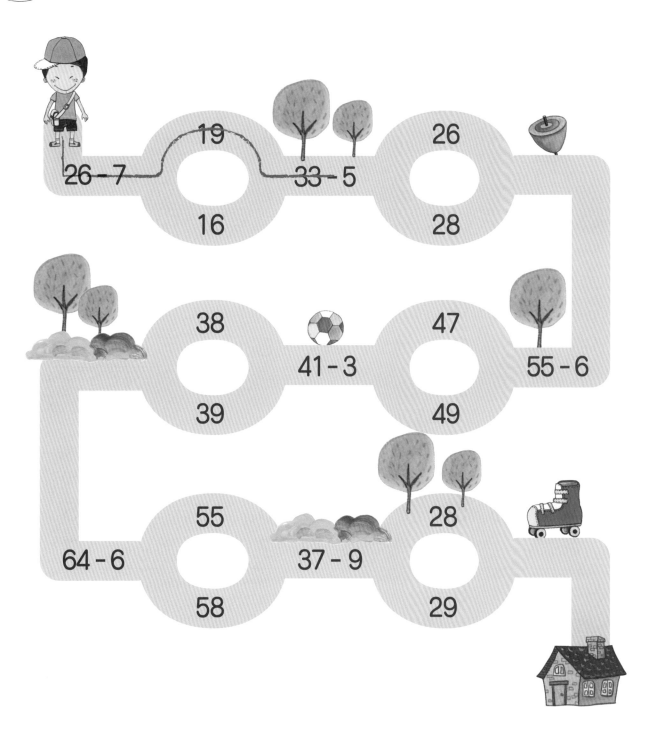

세로셈

🌱 일의 자리, 십의 자리의 위치를 맞추어 □ 안에 알맞은 수를 써넣으세요.

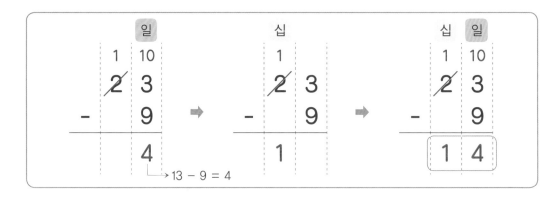

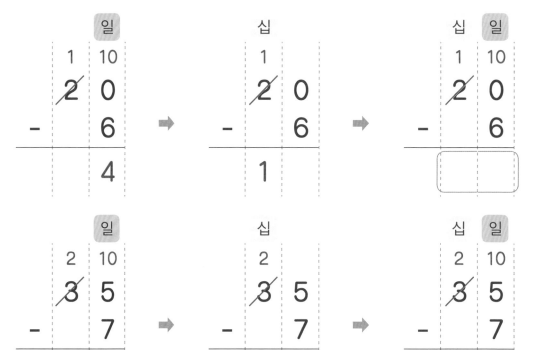

> **TIP**
>
> 23−9와 같이 받아내림이 있는 일의 자리 수 계산을 할 때, 십의 자리에서 빌려온 10으로 빼는 수를 먼저 빼고, 남은 수를 더하는 것이 쉽습니다. (13−9=10−9+3=4)

□ 안에 알맞은 수를 써넣으세요.

$$
\begin{array}{r}
\overset{3}{\cancel{4}}\overset{10}{5} \\
-\ \ 7 \\
\hline
3\ \ 8
\end{array}
$$

$$
\begin{array}{r}
2\ 6 \\
-\ \ 9 \\
\hline

\end{array}
$$

$$
\begin{array}{r}
3\ 0 \\
-\ \ 7 \\
\hline

\end{array}
$$

$$
\begin{array}{r}
3\ 4 \\
-\ \ 8 \\
\hline

\end{array}
$$

$$
\begin{array}{r}
4\ 2 \\
-\ \ 6 \\
\hline

\end{array}
$$

$$
\begin{array}{r}
5\ 3 \\
-\ \ 6 \\
\hline

\end{array}
$$

$$
\begin{array}{r}
5\ 0 \\
-\ \ 8 \\
\hline

\end{array}
$$

$$
\begin{array}{r}
7\ 2 \\
-\ \ 5 \\
\hline

\end{array}
$$

$$
\begin{array}{r}
8\ 1 \\
-\ \ 6 \\
\hline

\end{array}
$$

🌱 올바른 계산 결과를 찾아 선을 그어 보세요.

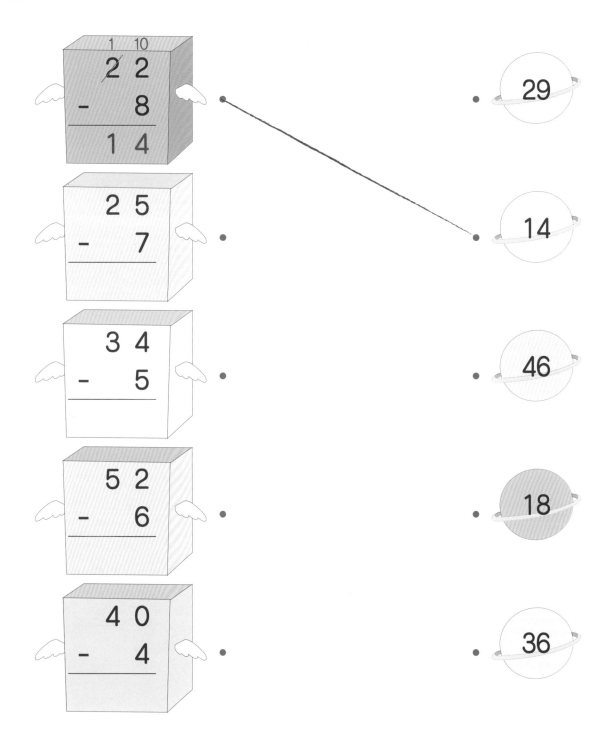

5 일 차 문장제

 이야기를 읽고, 이번 달 비가 온 날이 며칠인지 구하세요.

> 정호는 엄마와 뉴스에서 나오는 날씨 예보를 함께 보고 있습니다. 날씨를 알려주는 기상캐스터가 다음과 같이 말했습니다.
> "오늘은 7월의 마지막 날인 31일입니다. 오늘도 변함없이 비가 오고 있네요. 이번 달은 비가 참 많이도 왔습니다. 31일 중에 8일만 비가 오지 않았으니까 말이죠."
> 이번 달에 비가 온 날은 며칠이나 될까요?
>
> 식 : _____ ☐ 일

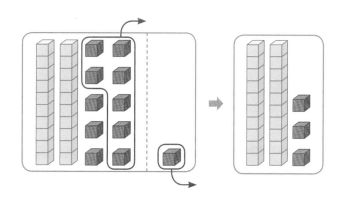

 다음을 읽고 알맞은 **뺄셈식**을 쓰고, 답을 구하세요.

기욱이는 수학 문제 24개를 풀었습니다. 채점을 해보니 5문제를 틀렸다면 기욱이가 맞은 문제는 몇 개일까요?

식 : _____

☐ 개

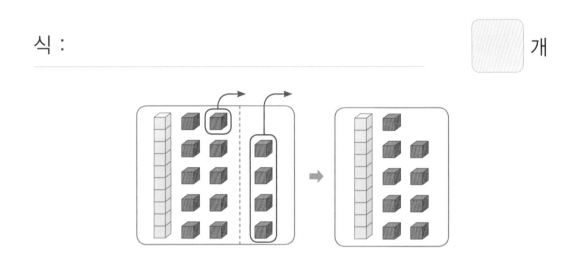

과일가게에 사과가 45개 있습니다. 오늘은 손님이 없어서 사과를 7개 밖에 팔지 못했습니다. 과일가게에 남은 사과는 몇 개일까요?

식 : _____

☐ 개

다음을 읽고 알맞은 뺄셈식을 쓰고, 답을 구하세요.

가게에 음료수가 44개 있습니다. 오늘 6개를 팔았다면 가게에 남은 음료수는 몇 개일까요?

식 : _____ ⬚ 개

경준이는 빨간색 도화지와 노란색 도화지를 모두 36장 가지고 있습니다. 그 중 노란색 도화지 7장을 모두 써 버렸다면 남은 빨간색 도화지는 몇 장일까요?

식 : _____ ⬚ 장

주희는 우표 53장을 모았습니다. 그 중 5장을 잃어버렸다면 주희에게 남은 우표는 몇 장일까요?

식 : _____ ⬚ 장

 다음을 읽고 알맞은 뺄셈식을 쓰고, 답을 구하세요.

25명이 탈 수 있는 버스가 한 대 있습니다. 지금 6명이 타고 있다면 앞으로 몇 명이 더 탈 수 있을까요?

식 : _____   명

오리 37마리가 연못 안에 있습니다. 그 중 9마리가 연못 밖으로 나갔다면 연못 안에 남아있는 오리는 몇 마리일까요?

식 : _____   마리

식당에 컵이 53개 있습니다. 손님 6명이 컵을 사용했다면 사용하지 않은 남은 컵은 몇 개일까요?

식 : _____   개

소마셈 A6 − 4주차

10에서 빼기 (2)

10에서 빼기

 그림을 보고 10에서 먼저 수를 빼서 뺄셈을 해 보세요.

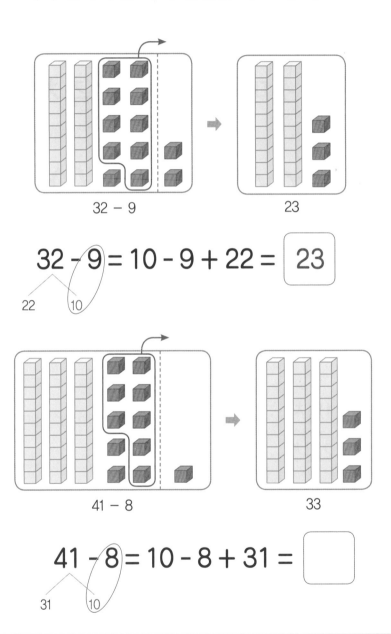

32 − 9

23

$$32 - 9 = 10 - 9 + 22 = \boxed{23}$$

22   10

41 − 8

33

$$41 - 8 = 10 - 8 + 31 = \boxed{}$$

31   10

TIP

32 − 9 = ☐ 처럼 일의 자리 수끼리의 차가 큰 경우는 몇십을 만들어 빼는 방법(32 − 2 − 7)
보다 10에서 빼는 방법(10 − 9 + 22)으로 계산하면 편리합니다.

그림을 보고 10에서 먼저 수를 빼서 뺄셈을 해 보세요.

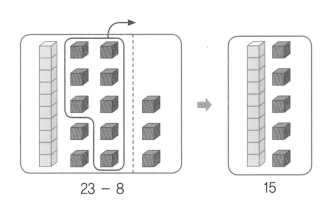

23 − 8

15

$23 - 8 = \boxed{}$

13   10

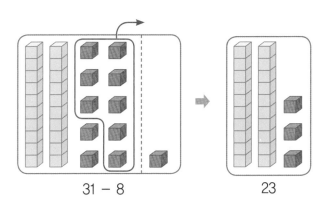

31 − 8

23

$31 - 8 = \boxed{}$

21   10

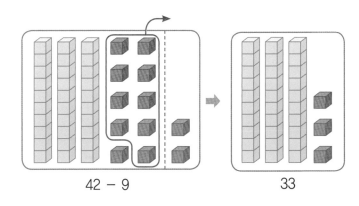

42 − 9

33

$42 - 9 = \boxed{}$

32   10

 □ 안에 알맞은 수를 써넣으세요.

52 - 7 = 45
42   10

31 - 7 = ☐
21   10

42 - 6 = ☐

53 - 7 = ☐

62 - 7 = ☐

73 - 9 = ☐

33 - 8 = ☐

42 - 8 = ☐

55 - 9 = ☐

61 - 5 = ☐

43 - 9 = ☐

35 - 9 = ☐

수직선과 수 막대

 수직선을 보고, □ 안에 알맞은 수를 써넣으세요.

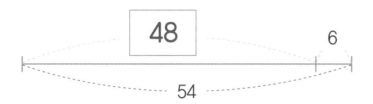

$$54 - 6 = \boxed{48}$$

48
54
6

$$63 - 6 = \boxed{}$$

63
6

$$46 - 9 = \boxed{}$$

46
9

$$71 - 5 = \boxed{}$$

5
71

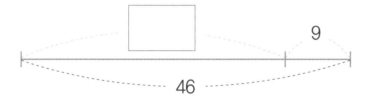

$$62 - 8 = \boxed{}$$

8
62

수 막대를 보고, □ 안에 알맞은 수를 써넣으세요.

39	7
46	

46 - 7 = 39

	9
35	

35 - 9 = ☐

8	
57	

57 - 8 = ☐

	6
73	

73 - 6 = ☐

5	
61	

61 - 5 = ☐

뺄셈 퍼즐

🌱 알맞은 답을 찾아 선을 그려 보세요.

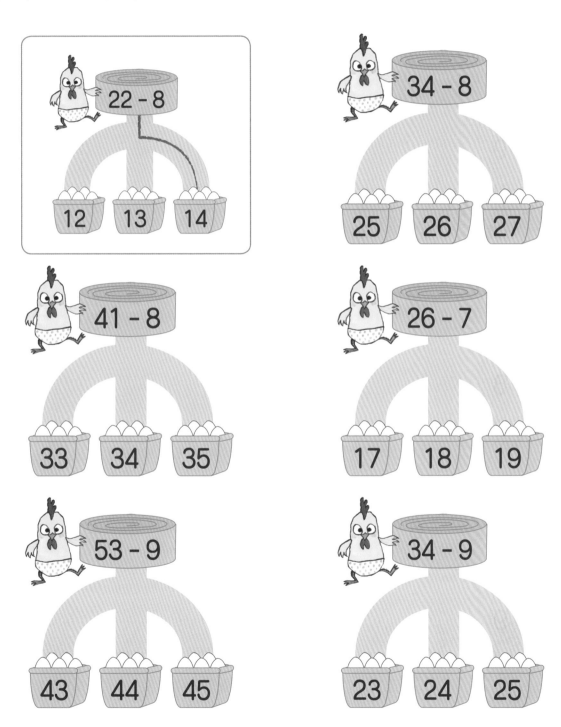

22 - 8

12 13 14

34 - 8

25 26 27

41 - 8

33 34 35

26 - 7

17 18 19

53 - 9

43 44 45

34 - 9

23 24 25

 빈칸에 알맞은 수를 써넣으세요.

23	−	7	=	16
−				
9				
=				
14				

52	−	8	=	
−				
6				
=				

35	−	9	=	
−				
6				
=				

43	−	5	=	
−				
8				
=				

63	−	6	=	
−				
9				
=				

42	−	4	=	
−				
7				
=				

월
일

다람쥐가 호두를 찾을 수 있도록 올바른 계산 결과를 찾아 길을 그려 보세요.

15 − 7 8	22 − 6 16	25 − 6 17
9	14	19
52 − 3 26	34 − 5 35	41 − 6 31
51	29	33
26 − 7 15	54 − 8 44	21 − 4 14
11	46	17
23 − 7 17	41 − 3 32	30 − 6 26
13	38	36

세로셈

 일의 자리, 십의 자리의 위치를 맞추어 □ 안에 알맞은 수를 써넣으세요.

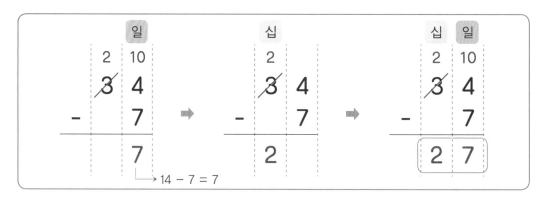

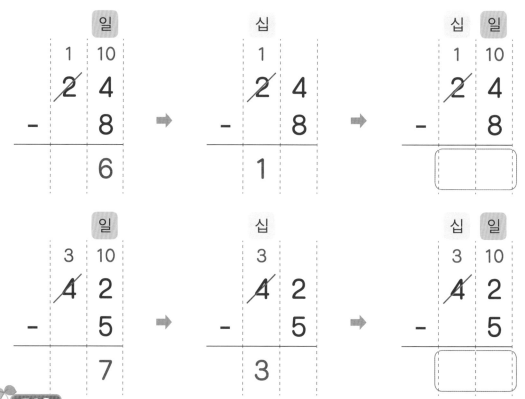

TIP

34−7과 같이 받아내림이 있는 일의 자리 수 계산을 할 때, 십의 자리에서 빌려온 10으로 빼는 수를 먼저 빼고, 남은 수를 더하는 것이 쉽습니다. (14−7=10−7+4=7)

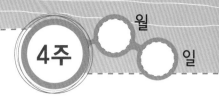

 □ 안에 알맞은 수를 써넣으세요.

```
    4 10
    5̷ 2
  -   4
  ─────
    4 8
```

```
    3 2
  -   3
  ─────
  [    ]
```

```
    4 3
  -   7
  ─────
  [    ]
```

```
    5 6
  -   8
  ─────
  [    ]
```

```
    3 1
  -   9
  ─────
  [    ]
```

```
    4 2
  -   6
  ─────
  [    ]
```

```
    4 7
  -   8
  ─────
  [    ]
```

```
    6 5
  -   7
  ─────
  [    ]
```

```
    7 3
  -   4
  ─────
  [    ]
```

올바른 계산 결과를 찾아 선을 그어 보세요.

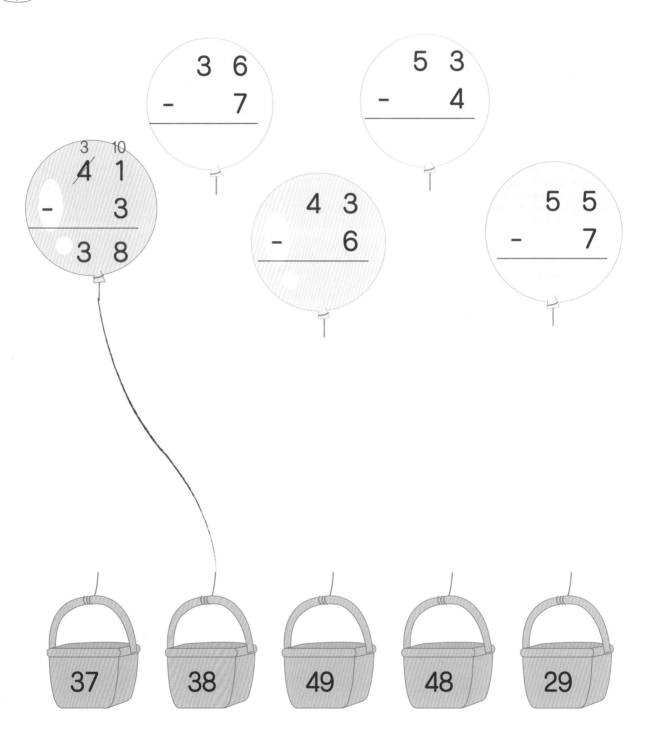

문장제

 이야기를 읽고, 상현이가 얻은 점수를 구하세요.

상현이가 영준이네 집에 놀러 갔습니다.

영준이는 상현이를 보자 마자 아빠가 선물로 사주신 과녁맞히기 놀이판을 보여주며 이야기했습니다.

"상현아! 과녁맞히기 놀이 같이 하지 않을래?"

두 사람은 번갈아 가며 여러 번 과녁맞히기 놀이를 했습니다.

영준이는 총 43점을 얻었고, 상현이는 영준이보다 7점이 더 낮았습니다.

상현이가 얻은 점수는 몇 점일까요?

식 : _____ [   ] 점

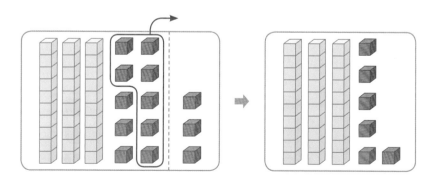

 다음을 읽고 알맞은 뺄셈식을 쓰고, 답을 구하세요.

옷장에 양말이 22개 있습니다. 그 중 9개가 낡아서 버리려고 합니다. 남은 양말은 몇 개일까요?

식 :

 개

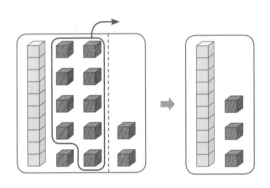

지수가 어제 윗몸일으키기를 32번 했습니다. 오늘은 어제보다 7번 적게 했다면 오늘 윗몸일으키기를 몇 번 했을까요?

식 :

 번

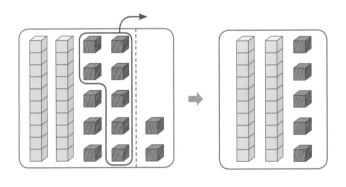

다음을 읽고 알맞은 뺄셈식을 쓰고, 답을 구하세요.

꽃집에 장미와 국화가 있습니다. 장미는 41송이가 있고, 국화는 장미보다 4송이 적게 있습니다. 국화는 몇 송이일까요?

식 : _____   □ 송이

엄마가 사과 31개를 사오셨습니다. 그 중 7개를 먹었다면 남은 사과는 몇 개일까요?

식 : _____   □ 개

현수는 어제 줄넘기를 53번 넘었습니다. 오늘은 어제보다 8번 적게 했다면 오늘 현수는 줄넘기를 몇 번 넘었을까요?

식 : _____   □ 번

 다음을 읽고 알맞은 뺄셈식을 쓰고, 답을 구하세요.

승현이는 구슬을 63개 가지고 있습니다. 지현이는 승현이보다 9개 적게 가지고 있다면 지현이가 가진 구슬은 몇 개일까요?

식 :

개

공원에 비둘기 42마리가 모여 있습니다. 그 중 6마리가 날아갔다면 남은 비둘기는 몇 마리일까요?

식 :

마리

주경이는 종이학 71마리를 접었습니다. 7마리를 언니에게 주었다면 주경이에게 남은 종이학은 몇 마리일까요?

식 :

마리

보충학습

Drill

□ 안에 알맞은 수를 써넣으세요.

17 - 2 = ☐   34 - 3 = ☐

19 - 1 = ☐   27 - 2 = ☐

25 - 4 = ☐   49 - 2 = ☐

36 - 2 = ☐   53 - 1 = ☐

38 - 3 = ☐   65 - 5 = ☐

57 - 6 = ☐   48 - 4 = ☐

45 - 2 = ☐   56 - 5 = ☐

□ 안에 알맞은 수를 써넣으세요.

15 - 4 = ☐   27 - 7 = ☐

19 - 7 = ☐   36 - 4 = ☐

22 - 1 = ☐   52 - 2 = ☐

34 - 3 = ☐   39 - 4 = ☐

47 - 2 = ☐   46 - 5 = ☐

26 - 3 = ☐   28 - 4 = ☐

59 - 5 = ☐   67 - 6 = ☐

□ 안에 알맞은 수를 써넣으세요.

15 - 3 = ☐   23 - 1 = ☐

18 - 1 = ☐   35 - 3 = ☐

26 - 5 = ☐   48 - 5 = ☐

37 - 2 = ☐   56 - 3 = ☐

48 - 3 = ☐   45 - 2 = ☐

56 - 2 = ☐   57 - 6 = ☐

69 - 7 = ☐   66 - 4 = ☐

□ 안에 알맞은 수를 써넣으세요.

23 - 3 = ☐

27 - 6 = ☐

35 - 4 = ☐

48 - 5 = ☐

57 - 6 = ☐

55 - 4 = ☐

49 - 7 = ☐

33 - 2 = ☐

45 - 4 = ☐

58 - 6 = ☐

68 - 4 = ☐

73 - 1 = ☐

55 - 5 = ☐

49 - 2 = ☐

□ 안에 알맞은 수를 써넣으세요.

16 − 3 = ☐   28 − 7 = ☐

27 − 5 = ☐   26 − 5 = ☐

39 − 8 = ☐   19 − 4 = ☐

14 − 3 = ☐   27 − 6 = ☐

57 − 5 = ☐   35 − 3 = ☐

66 − 2 = ☐   28 − 4 = ☐

49 − 7 = ☐   59 − 5 = ☐

□ 안에 알맞은 수를 써넣으세요.

18 - 4 = ☐   36 - 5 = ☐

27 - 3 = ☐   17 - 2 = ☐

35 - 5 = ☐   25 - 3 = ☐

45 - 4 = ☐   28 - 5 = ☐

69 - 9 = ☐   39 - 6 = ☐

48 - 7 = ☐   57 - 5 = ☐

87 - 6 = ☐   77 - 3 = ☐

□ 안에 알맞은 수를 써넣으세요.

27 - 7 = ☐   35 - 3 = ☐

19 - 5 = ☐   29 - 6 = ☐

28 - 5 = ☐   48 - 8 = ☐

38 - 7 = ☐   18 - 6 = ☐

49 - 6 = ☐   76 - 6 = ☐

58 - 5 = ☐   48 - 6 = ☐

76 - 4 = ☐   57 - 7 = ☐

□ 안에 알맞은 수를 써넣으세요.

38 - 5 = ☐   18 - 5 = ☐

48 - 8 = ☐   19 - 3 = ☐

27 - 4 = ☐   36 - 5 = ☐

34 - 4 = ☐   49 - 8 = ☐

18 - 7 = ☐   57 - 6 = ☐

46 - 5 = ☐   66 - 5 = ☐

27 - 4 = ☐   74 - 2 = ☐

□ 안에 알맞은 수를 써넣으세요.

20 - 9 = ☐   30 - 2 = ☐

20 - 2 = ☐   40 - 7 = ☐

30 - 5 = ☐   50 - 9 = ☐

30 - 8 = ☐   50 - 3 = ☐

50 - 4 = ☐   40 - 8 = ☐

40 - 3 = ☐   30 - 6 = ☐

60 - 1 = ☐   60 - 5 = ☐

□ 안에 알맞은 수를 써넣으세요.

20 - 4 = ☐   20 - 2 = ☐

20 - 6 = ☐   30 - 5 = ☐

30 - 1 = ☐   30 - 9 = ☐

30 - 8 = ☐   40 - 4 = ☐

40 - 7 = ☐   50 - 7 = ☐

50 - 3 = ☐   60 - 3 = ☐

40 - 2 = ☐   70 - 8 = ☐

□ 안에 알맞은 수를 써넣으세요.

20 - 7 = ☐   20 - 4 = ☐

30 - 1 = ☐   30 - 3 = ☐

30 - 8 = ☐   30 - 9 = ☐

40 - 5 = ☐   50 - 2 = ☐

50 - 4 = ☐   60 - 8 = ☐

50 - 9 = ☐   60 - 1 = ☐

70 - 2 = ☐   70 - 5 = ☐

□ 안에 알맞은 수를 써넣으세요.

$20 - 5 = \boxed{}$

$30 - 3 = \boxed{}$

$30 - 7 = \boxed{}$

$30 - 8 = \boxed{}$

$30 - 9 = \boxed{}$

$40 - 5 = \boxed{}$

$40 - 1 = \boxed{}$

$50 - 4 = \boxed{}$

$40 - 6 = \boxed{}$

$60 - 2 = \boxed{}$

$50 - 2 = \boxed{}$

$60 - 7 = \boxed{}$

$60 - 8 = \boxed{}$

$70 - 6 = \boxed{}$

□ 안에 알맞은 수를 써넣으세요.

20 - 8 = ☐

50 - 7 = ☐

30 - 3 = ☐

60 - 1 = ☐

30 - 6 = ☐

40 - 3 = ☐

50 - 5 = ☐

60 - 2 = ☐

20 - 6 = ☐

50 - 9 = ☐

40 - 7 = ☐

40 - 6 = ☐

70 - 6 = ☐

40 - 8 = ☐

□ 안에 알맞은 수를 써넣으세요.

20 - 3 = ☐   50 - 5 = ☐

20 - 5 = ☐   30 - 7 = ☐

40 - 4 = ☐   30 - 3 = ☐

40 - 3 = ☐   50 - 6 = ☐

30 - 7 = ☐   70 - 8 = ☐

60 - 6 = ☐   80 - 3 = ☐

40 - 5 = ☐   20 - 9 = ☐

□ 안에 알맞은 수를 써넣으세요.

20 - 6 = ☐   20 - 9 = ☐

30 - 7 = ☐   50 - 5 = ☐

40 - 6 = ☐   30 - 6 = ☐

30 - 1 = ☐   40 - 4 = ☐

50 - 9 = ☐   40 - 7 = ☐

40 - 8 = ☐   50 - 8 = ☐

60 - 6 = ☐   70 - 4 = ☐

□ 안에 알맞은 수를 써넣으세요.

30 - 6 = ☐   20 - 2 = ☐

20 - 8 = ☐   50 - 3 = ☐

30 - 4 = ☐   60 - 3 = ☐

40 - 6 = ☐   30 - 8 = ☐

50 - 7 = ☐   80 - 3 = ☐

60 - 2 = ☐   60 - 8 = ☐

50 - 4 = ☐   70 - 9 = ☐

몇십 만들어 빼기

□ 안에 알맞은 수를 써넣으세요.

23 - 5 = ☐   21 - 4 = ☐

14 - 8 = ☐   13 - 7 = ☐

22 - 9 = ☐   25 - 9 = ☐

34 - 7 = ☐   34 - 8 = ☐

41 - 5 = ☐   42 - 6 = ☐

55 - 6 = ☐   44 - 5 = ☐

33 - 8 = ☐   32 - 6 = ☐

□ 안에 알맞은 수를 써넣으세요.

2 3 - 8	3 1 - 9	2 2 - 6	3 4 - 7

1 2 - 8	2 5 - 9	3 6 - 8	2 7 - 9

3 3 - 4	2 1 - 5	4 3 - 6	4 5 - 7

2 2 - 9	3 1 - 7	4 2 - 3	4 1 - 7

□ 안에 알맞은 수를 써넣으세요.

34 - 8 = ☐

22 - 3 = ☐

35 - 7 = ☐

24 - 6 = ☐

31 - 9 = ☐

42 - 5 = ☐

44 - 7 = ☐

23 - 4 = ☐

32 - 6 = ☐

34 - 5 = ☐

42 - 4 = ☐

48 - 9 = ☐

51 - 6 = ☐

53 - 8 = ☐

□ 안에 알맞은 수를 써넣으세요.

$$
\begin{array}{r}
2\ 1 \\
-\quad 5 \\
\hline
\boxed{}
\end{array}
\qquad
\begin{array}{r}
2\ 4 \\
-\quad 9 \\
\hline
\boxed{}
\end{array}
\qquad
\begin{array}{r}
1\ 3 \\
-\quad 8 \\
\hline
\boxed{}
\end{array}
\qquad
\begin{array}{r}
3\ 2 \\
-\quad 7 \\
\hline
\boxed{}
\end{array}
$$

$$
\begin{array}{r}
3\ 3 \\
-\quad 6 \\
\hline
\boxed{}
\end{array}
\qquad
\begin{array}{r}
3\ 1 \\
-\quad 8 \\
\hline
\boxed{}
\end{array}
\qquad
\begin{array}{r}
4\ 2 \\
-\quad 6 \\
\hline
\boxed{}
\end{array}
\qquad
\begin{array}{r}
4\ 4 \\
-\quad 7 \\
\hline
\boxed{}
\end{array}
$$

$$
\begin{array}{r}
4\ 3 \\
-\quad 4 \\
\hline
\boxed{}
\end{array}
\qquad
\begin{array}{r}
3\ 2 \\
-\quad 3 \\
\hline
\boxed{}
\end{array}
\qquad
\begin{array}{r}
2\ 2 \\
-\quad 3 \\
\hline
\boxed{}
\end{array}
\qquad
\begin{array}{r}
5\ 4 \\
-\quad 9 \\
\hline
\boxed{}
\end{array}
$$

$$
\begin{array}{r}
5\ 1 \\
-\quad 6 \\
\hline
\boxed{}
\end{array}
\qquad
\begin{array}{r}
5\ 3 \\
-\quad 7 \\
\hline
\boxed{}
\end{array}
\qquad
\begin{array}{r}
4\ 8 \\
-\quad 9 \\
\hline
\boxed{}
\end{array}
\qquad
\begin{array}{r}
4\ 3 \\
-\quad 8 \\
\hline
\boxed{}
\end{array}
$$

□ 안에 알맞은 수를 써넣으세요.

35 － 6 ＝ ☐   33 － 6 ＝ ☐

25 － 7 ＝ ☐   26 － 7 ＝ ☐

14 － 5 ＝ ☐   42 － 3 ＝ ☐

22 － 3 ＝ ☐   32 － 5 ＝ ☐

37 － 8 ＝ ☐   32 － 4 ＝ ☐

41 － 4 ＝ ☐   28 － 9 ＝ ☐

53 － 5 ＝ ☐   48 － 9 ＝ ☐

□ 안에 알맞은 수를 써넣으세요.

2 4 - 7	1 5 - 7	2 4 - 6	4 1 - 3
4 4 - 5	3 2 - 3	2 5 - 8	3 3 - 4
5 1 - 2	3 4 - 7	2 5 - 6	5 7 - 9
4 6 - 7	3 8 - 9	4 3 - 6	5 2 - 4

□ 안에 알맞은 수를 써넣으세요.

24 - 6 = ☐   41 - 2 = ☐

35 - 7 = ☐   26 - 8 = ☐

22 - 5 = ☐   35 - 6 = ☐

18 - 9 = ☐   42 - 4 = ☐

46 - 7 = ☐   55 - 6 = ☐

32 - 3 = ☐   47 - 9 = ☐

44 - 5 = ☐   62 - 4 = ☐

□ 안에 알맞은 수를 써넣으세요.

$$
\begin{array}{r} 2\ 5 \\ -\quad 6 \\ \hline \square \end{array}
\qquad
\begin{array}{r} 4\ 3 \\ -\quad 4 \\ \hline \square \end{array}
\qquad
\begin{array}{r} 3\ 5 \\ -\quad 6 \\ \hline \square \end{array}
\qquad
\begin{array}{r} 4\ 7 \\ -\quad 9 \\ \hline \square \end{array}
$$

$$
\begin{array}{r} 5\ 4 \\ -\quad 5 \\ \hline \square \end{array}
\qquad
\begin{array}{r} 3\ 4 \\ -\quad 5 \\ \hline \square \end{array}
\qquad
\begin{array}{r} 2\ 1 \\ -\quad 2 \\ \hline \square \end{array}
\qquad
\begin{array}{r} 6\ 3 \\ -\quad 5 \\ \hline \square \end{array}
$$

$$
\begin{array}{r} 6\ 2 \\ -\quad 3 \\ \hline \square \end{array}
\qquad
\begin{array}{r} 5\ 1 \\ -\quad 2 \\ \hline \square \end{array}
\qquad
\begin{array}{r} 2\ 3 \\ -\quad 6 \\ \hline \square \end{array}
\qquad
\begin{array}{r} 4\ 8 \\ -\quad 9 \\ \hline \square \end{array}
$$

$$
\begin{array}{r} 5\ 6 \\ -\quad 7 \\ \hline \square \end{array}
\qquad
\begin{array}{r} 3\ 3 \\ -\quad 4 \\ \hline \square \end{array}
\qquad
\begin{array}{r} 6\ 4 \\ -\quad 6 \\ \hline \square \end{array}
\qquad
\begin{array}{r} 5\ 7 \\ -\quad 8 \\ \hline \square \end{array}
$$

10에서 빼기 (2)

□ 안에 알맞은 수를 써넣으세요.

23 - 9 = ☐   31 - 6 = ☐

25 - 7 = ☐   35 - 9 = ☐

31 - 8 = ☐   41 - 7 = ☐

32 - 6 = ☐   42 - 8 = ☐

36 - 7 = ☐   46 - 9 = ☐

42 - 9 = ☐   53 - 7 = ☐

41 - 4 = ☐   52 - 6 = ☐

□ 안에 알맞은 수를 써넣으세요.

2 1	2 3	3 2	3 3
- 6	- 8	- 9	- 6

2 2	3 1	3 4	3 5
- 7	- 9	- 5	- 7

4 1	4 2	3 1	3 2
- 7	- 6	- 8	- 7

2 4	3 6	2 7	3 8
- 5	- 8	- 9	- 9

□ 안에 알맞은 수를 써넣으세요.

25 - 6 = ☐   32 - 7 = ☐

13 - 8 = ☐   34 - 9 = ☐

22 - 8 = ☐   41 - 6 = ☐

31 - 9 = ☐   43 - 5 = ☐

24 - 7 = ☐   52 - 6 = ☐

33 - 6 = ☐   55 - 8 = ☐

41 - 8 = ☐   42 - 9 = ☐

□ 안에 알맞은 수를 써넣으세요.

	2 1		1 8		2 2		1 7
−	4	−	9	−	6	−	8

	2 4		3 2		3 5		3 7
−	5	−	3	−	8	−	9

	2 3		3 1		3 4		3 2
−	7	−	8	−	6	−	8

	4 2		4 7		5 2		5 1
−	9	−	8	−	5	−	6

□ 안에 알맞은 수를 써넣으세요.

21 - 9 = ☐   20 - 7 = ☐

32 - 6 = ☐   22 - 5 = ☐

20 - 9 = ☐   61 - 6 = ☐

43 - 7 = ☐   54 - 9 = ☐

22 - 8 = ☐   21 - 8 = ☐

31 - 5 = ☐   32 - 7 = ☐

52 - 7 = ☐   11 - 8 = ☐

□ 안에 알맞은 수를 써넣으세요.

$$
\begin{array}{r}
4\ 2 \\
-\quad 9 \\
\hline
\boxed{}
\end{array}
\qquad
\begin{array}{r}
3\ 1 \\
-\quad 8 \\
\hline
\boxed{}
\end{array}
\qquad
\begin{array}{r}
2\ 2 \\
-\quad 6 \\
\hline
\boxed{}
\end{array}
\qquad
\begin{array}{r}
3\ 3 \\
-\quad 9 \\
\hline
\boxed{}
\end{array}
$$

$$
\begin{array}{r}
4\ 2 \\
-\quad 7 \\
\hline
\boxed{}
\end{array}
\qquad
\begin{array}{r}
3\ 2 \\
-\quad 8 \\
\hline
\boxed{}
\end{array}
\qquad
\begin{array}{r}
7\ 2 \\
-\quad 5 \\
\hline
\boxed{}
\end{array}
\qquad
\begin{array}{r}
4\ 1 \\
-\quad 9 \\
\hline
\boxed{}
\end{array}
$$

$$
\begin{array}{r}
6\ 1 \\
-\quad 7 \\
\hline
\boxed{}
\end{array}
\qquad
\begin{array}{r}
3\ 3 \\
-\quad 5 \\
\hline
\boxed{}
\end{array}
\qquad
\begin{array}{r}
2\ 2 \\
-\quad 8 \\
\hline
\boxed{}
\end{array}
\qquad
\begin{array}{r}
5\ 1 \\
-\quad 6 \\
\hline
\boxed{}
\end{array}
$$

$$
\begin{array}{r}
3\ 3 \\
-\quad 9 \\
\hline
\boxed{}
\end{array}
\qquad
\begin{array}{r}
4\ 4 \\
-\quad 6 \\
\hline
\boxed{}
\end{array}
\qquad
\begin{array}{r}
4\ 1 \\
-\quad 8 \\
\hline
\boxed{}
\end{array}
\qquad
\begin{array}{r}
5\ 2 \\
-\quad 7 \\
\hline
\boxed{}
\end{array}
$$

□ 안에 알맞은 수를 써넣으세요.

32 - 8 = ☐   52 - 8 = ☐

21 - 7 = ☐   30 - 8 = ☐

33 - 9 = ☐   60 - 6 = ☐

41 - 7 = ☐   52 - 9 = ☐

21 - 9 = ☐   33 - 7 = ☐

32 - 8 = ☐   40 - 9 = ☐

42 - 7 = ☐   61 - 7 = ☐

□ 안에 알맞은 수를 써넣으세요.

$$
\begin{array}{r} 2\ 2 \\ -\ \ 9 \\ \hline \end{array}
\qquad
\begin{array}{r} 3\ 2 \\ -\ \ 8 \\ \hline \end{array}
\qquad
\begin{array}{r} 4\ 3 \\ -\ \ 7 \\ \hline \end{array}
\qquad
\begin{array}{r} 5\ 4 \\ -\ \ 9 \\ \hline \end{array}
$$

$$
\begin{array}{r} 4\ 2 \\ -\ \ 8 \\ \hline \end{array}
\qquad
\begin{array}{r} 6\ 1 \\ -\ \ 8 \\ \hline \end{array}
\qquad
\begin{array}{r} 5\ 2 \\ -\ \ 6 \\ \hline \end{array}
\qquad
\begin{array}{r} 3\ 1 \\ -\ \ 5 \\ \hline \end{array}
$$

$$
\begin{array}{r} 4\ 1 \\ -\ \ 8 \\ \hline \end{array}
\qquad
\begin{array}{r} 5\ 4 \\ -\ \ 9 \\ \hline \end{array}
\qquad
\begin{array}{r} 3\ 0 \\ -\ \ 9 \\ \hline \end{array}
\qquad
\begin{array}{r} 8\ 1 \\ -\ \ 5 \\ \hline \end{array}
$$

$$
\begin{array}{r} 6\ 0 \\ -\ \ 6 \\ \hline \end{array}
\qquad
\begin{array}{r} 5\ 4 \\ -\ \ 9 \\ \hline \end{array}
\qquad
\begin{array}{r} 4\ 2 \\ -\ \ 7 \\ \hline \end{array}
\qquad
\begin{array}{r} 3\ 3 \\ -\ \ 6 \\ \hline \end{array}
$$

정답

1 일차 (십몇) - (몇)

P 8 ~ 9

그림을 보고 일의 자리 숫자끼리 빼서 뺄셈을 해 보세요.

17 - 5 = 12

18 - 3 = 15

15 - 5 = 10

□ 안에 알맞은 수를 써넣으세요.

18 - 5 = 13   19 - 5 = 14

16 - 4 = 12   17 - 6 = 11

18 - 4 = 14   17 - 2 = 15

8 소마셈 - A6

1주 - 받아내림이 없는 뺄셈 9

P 10 ~ 11

□ 안에 알맞은 수를 써넣으세요.

17 - 4 = 13   15 - 4 = 11

18 - 6 = 12   15 - 3 = 12

17 - 7 = 10   14 - 2 = 12

13 - 2 = 11   17 - 3 = 14

19 - 3 = 16   18 - 7 = 11

16 - 5 = 11   19 - 4 = 15

2 일차 (몇십 몇) - (몇)

그림을 보고 일의 자리 숫자끼리 빼서 뺄셈을 해 보세요.

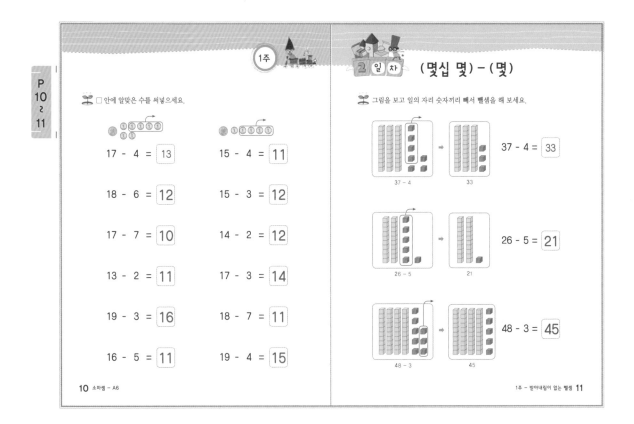

37 - 4 = 33

26 - 5 = 21

48 - 3 = 45

10 소마셈 - A6

1주 - 받아내림이 없는 뺄셈 11

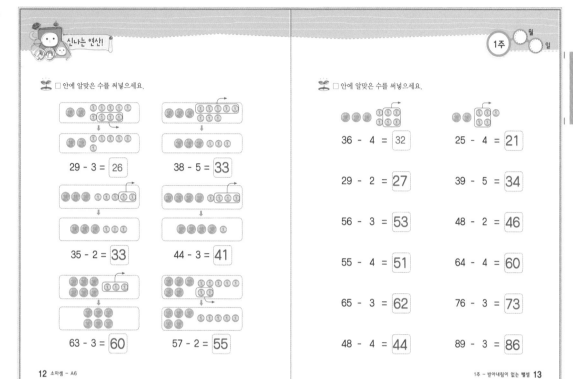

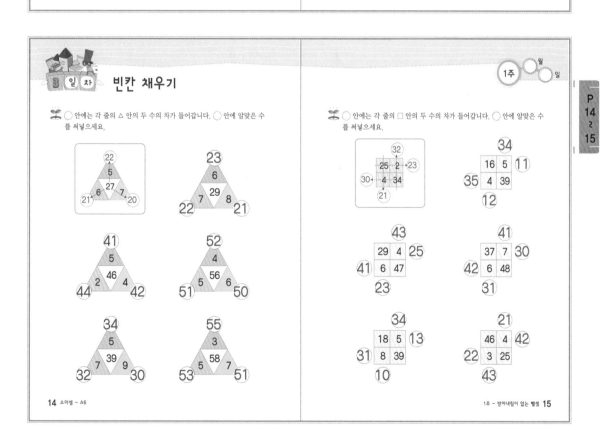

P 16 ~ 17

 빼셈 퍼즐

빈칸에 알맞은 수를 써넣으세요.

39 - 5 = 34
-
4
=
30

48 - 3 = 45
-
4
=
41

57 - 3 = 54
-
4
=
50

67
-
2
=
65 - 5 = 60

46
-
3
=
43 - 3 = 40

79
-
2
=
77 - 6 = 71

올바른 계산 결과가 되도록 선을 그어 보세요.

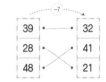

16 소마셈 – A6

1주 – 받아내림이 없는 뺄셈 17

P 18 ~ 19

올바른 계산 결과가 되도록 길을 그려 보세요.

문장제

이야기를 읽고, 민진이와 민수가 만들어 먹은 만두의 개수를 구하세요.

민진이와 동생 민수는 엄마를 도와 만두를 만들어 보기로 했습니다. 처음에는 어떻게 만들어야 할지 잘 몰라서 몇 번은 실수를 했지만 여러 번 해보니 제법 잘 만들 수 있었습니다.
둘은 한참을 만들어 모두 27개를 만들었습니다.
함께 만들어 놓은 만두를 보니 처음에 만들었던 만두 5개는 서툴러 완성되지 않아 나머지 만두만 쪄서 먹기로 했습니다.
민진이와 민수가 만들어 먹은 만두는 몇 개일까요?

식 : 27 - 5 = 22   **22** 개

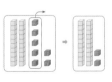

18 소마셈 – A6

1주 – 받아내림이 없는 뺄셈 19

다음을 읽고 알맞은 뺄셈식을 쓰고, 답을 구하세요.

도서관에 48명의 학생이 책을 보고 있습니다. 한 시간 후 5명이 집으로 돌아
갔다면 도서관에 남아 책을 보는 학생은 몇 명일까요?

식 : 48 - 5 = 43   **43** 명

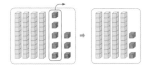

현수는 구슬 37개를 가지고 있습니다. 주성이는 현수보다 6개를 적게 가지고
있다면 주성이가 가진 구슬은 몇 개일까요?

식 : 37 - 6 = 31   **31** 개

다음을 읽고 알맞은 뺄셈식을 쓰고, 답을 구하세요.

주머니 안에 주황색 구슬과 빨간색 구슬이 모두 59개 있습니다. 그 중 7
개가 주황색 구슬이라면 빨간색 구슬은 몇 개일까요?

식 : 59 - 7 = 52   **52** 개

연못에 거위 36마리가 있습니다. 그 중 3마리가 연못 밖으로 나갔다면 연못
안에 남아있는 거위는 몇 마리일까요?

식 : 36 - 3 = 33   **33** 마리

성수의 아빠는 46살입니다. 엄마는 아빠보다 5살이 적다면 성수의 엄마
는 몇 살일까요?

식 : 46 - 5 = 41   **41** 살

다음을 읽고 알맞은 뺄셈식을 쓰고, 답을 구하세요.

준기네 반 학생들은 모두 39명입니다. 그 중 3명이 아파서 결석을 했다면
학교에 온 준기네 반 학생들은 몇 명일까요?

식 : 39 - 3 = 36   **36** 명

준영이네 할머니 댁에는 44마리의 닭을 키우고 있습니다. 그 중 수탉이 4마
리라면 암탉은 모두 몇 마리일까요?

식 : 44 - 4 = 40   **40** 마리

수지는 어제 영어 시험에서 25문제를 풀었습니다. 채점을 한 결과 4문제
를 틀렸다면 맞은 문제는 모두 몇 개일까요?

식 : 25 - 4 = 21   **21** 개

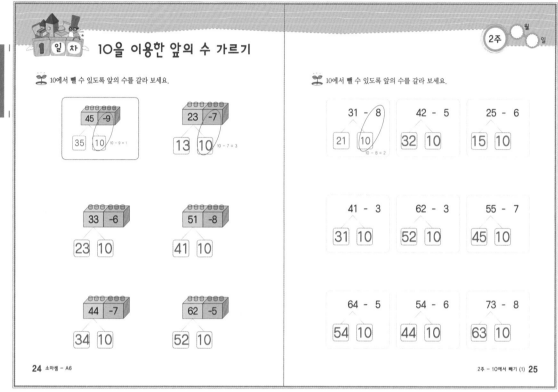

1일차 10을 이용한 앞의 수 가르기

🌱 10에서 뺄 수 있도록 앞의 수를 갈라 보세요.

45 -9
35 10 10 - 9 = 1

23 -7
13 10 10 - 7 = 3

33 -6
23 10

51 -8
41 10

44 -7
34 10

62 -5
52 10

24 소마셈 - A6

🌱 10에서 뺄 수 있도록 앞의 수를 갈라 보세요.

31 - 8
21 10 10 - 8 = 2

42 - 5
32 10

25 - 6
15 10

41 - 3
31 10

62 - 3
52 10

55 - 7
45 10

64 - 5
54 10

54 - 6
44 10

73 - 8
63 10

2주 - 10에서 빼기 (1) 25

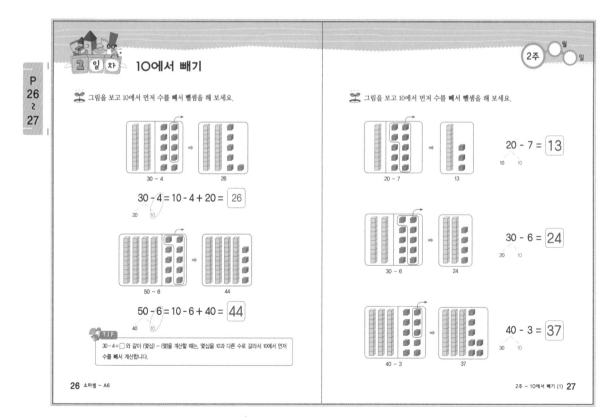

2일차 10에서 빼기

🌱 그림을 보고 10에서 먼저 수를 빼서 뺄셈을 해 보세요.

30 - 4   26

$30 - 4 = 10 - 4 + 20 = $ 26
20 10

50 - 6   44

$50 - 6 = 10 - 6 + 40 = $ 44
40 10

TIP
30 - 4 = □ 와 같이 (몇십) - (몇)을 계산할 때는, 몇십을 10과 다른 수로 갈라서 10에서 먼저
수를 빼서 계산합니다.

26 소마셈 - A6

🌱 그림을 보고 10에서 먼저 수를 빼서 뺄셈을 해 보세요.

20 - 7
$20 - 7 = $ 13
10 10

30 - 6
$30 - 6 = $ 24
20 10

40 - 3
$40 - 3 = $ 37
30 10

2주 - 10에서 빼기 (1) 27

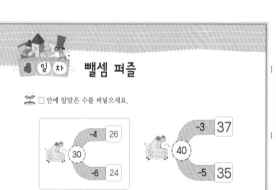

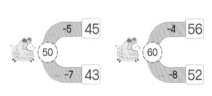

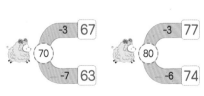

28쪽

🌱 □ 안에 알맞은 수를 써넣으세요.

40 - 5 = 35   30 - 7 = 23

40 - 2 = 38   60 - 4 = 56

50 - 7 = 43   70 - 7 = 63

30 - 8 = 22   40 - 8 = 32

70 - 5 = 65   60 - 3 = 57

50 - 4 = 46   80 - 9 = 71

28 소마셈 – A6

29쪽 — 빈칸 채우기

🌱 ◯ 안에는 각 줄의 △ 안의 두 수의 차가 들어갑니다. ◯ 안에 알맞은 수를 써넣으세요.

(28) 2 30, 27 3 4 26

(25) 5, 6 30 7, 24 ... 23

(17) 3 20, 16 4 5 15

(38) 2 40, 37 3 4 36

(35) 5 40, 34 6 7 33

(47) 3 50, 46 4 5 45

2주 – 10에서 빼기 (1) 29

30쪽

🌱 ◯ 안에는 각 줄의 □ 안의 두 수의 차가 들어갑니다. ◯ 안에 알맞은 수를 써넣으세요.

(27) 20 3 17, 26 4 30, (16)

(35) 20 5 (15), (31) 9 40, (11)

(36) 20 4 (16), (33) 7 40, (13)

(42) 30 8 (22), (44) 6 50, (24)

(45) 30 5 (25), (43) 7 50, (23)

(54) 20 6 (14), (56) 4 60, (16)

30 소마셈 – A6

31쪽 — 뺄셈 퍼즐

🌱 □ 안에 알맞은 수를 써넣으세요.

30 : -4 → 26, -6 → 24

40 : -3 → 37, -5 → 35

50 : -5 → 45, -7 → 43

60 : -4 → 56, -8 → 52

70 : -3 → 67, -7 → 63

80 : -3 → 77, -6 → 74

2주 – 10에서 빼기 (1) 31

신나는 연산!

2주 □월 □일

올바른 계산 결과가 되도록 길을 그려 보세요.

-8
30   22
-6

-4
40   34
-6

-4
60   53
-7

-9
70   61
-7

-4
50   46
-6

-8
80   74
-6

올바른 계산 결과가 되도록 선을 이어 보세요.

50 - 4   42   47 - 5
40 - 6   34   49 - 3
50 - 8   46   58 - 4
60 - 6   57   39 - 5
80 - 7   54   77 - 4
60 - 3   73   59 - 2

32 소마셈 – A6

2주 – 10에서 빼기 (1) 33

---

5 일 차 문장제

2주 □월 □일

이야기를 읽고, 과수원에 남은 복숭아나무는 몇 그루인지 구하세요.

수정이네 삼촌은 과수원을 하십니다.
과수원에는 복숭아나무가 50그루 심어져 있는데, 이번 여름
태풍이 와서 걱정이 이만 저만이 아닙니다.
수정이는 삼촌 댁에 전화를 걸었습니다.
"삼촌! 안녕하세요? 태풍이 지나갔다고 들었는데 과수원에
나무들은 괜찮나요?"
"수정이가 걱정해주니 고맙구나. 복숭아나무 7그루가 쓰러져
버렸지만 나머지는 괜찮단다."
수정이네 삼촌의 과수원에 남은 복숭아나무는 몇 그루일까요?

식 : 50 - 7 = 43   43 그루

다음을 읽고 알맞은 뺄셈식을 쓰고, 답을 구하세요.

버스에 30명의 사람이 타고 있습니다. 다음 정류소에서 더 탄 사람은 없고
6명이 내렸다면 버스에 타고 있는 사람은 몇 명일까요?

식 : 30 - 6 = 24   24 명

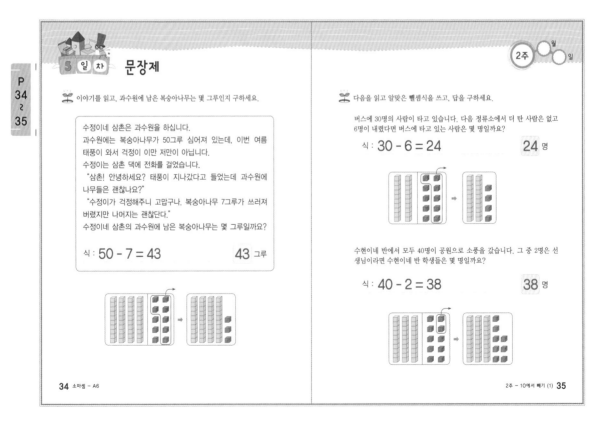

수현이네 반에서 모두 40명이 공원으로 소풍을 갔습니다. 그 중 2명은 선
생님이라면 수현이네 반 학생들은 몇 명일까요?

식 : 40 - 2 = 38   38 명

34 소마셈 – A6

2주 – 10에서 빼기 (1) 35

🌱 다음을 읽고 알맞은 뺄셈식을 쓰고, 답을 구하세요.

기영이는 구슬 40개를 가지고 있습니다. 그 중 6개를 형에게 주었다면 기영이에게 남은 구슬은 몇 개일까요?

식 : 40 - 6 = 34   **34** 개

공원에 빨간 모자를 쓴 사람과 파란 모자를 쓴 사람이 모두 50명 있습니다. 그 중 8명이 빨간 모자를 썼다면 파란 모자를 쓴 사람은 몇 명일까요?

식 : 50 - 8 = 42   **42** 명

놀이공원에 회전목마를 타기 위해 60명이 줄을 서 있습니다. 잠시 후 기다리다 지쳐 9명이 집으로 돌아갔습니다. 남은 사람은 몇 명일까요?

식 : 60 - 9 = 51   **51** 명

36 소마셈 – A6

🌱 다음을 읽고 알맞은 뺄셈식을 쓰고, 답을 구하세요.

바구니에 귤이 40개 있었는데 배가 고픈 기형이가 9개를 먹었습니다. 바구니에 남은 귤은 몇 개일까요?

식 : 40 - 9 = 31   **31** 개

정우네 할아버지는 60살입니다. 할머니는 할아버지보다 4살 더 적다면 정우네 할머니의 나이는 몇 살일까요?

식 : 60 - 4 = 56   **56** 살

수희에게 사탕 30개가 있습니다. 친구들에게 하나씩 나누어 주고 보니 8개가 남았습니다. 수희가 사탕을 나누어준 친구들은 몇 명일까요?

식 : 30 - 8 = 22   **22** 명

2주 – 10에서 빼기 (1) 37

---

1 일 차   □ 구하기

🌱 그림을 보고 일의 자리 수의 차를 0으로 만들어 □를 구하세요.

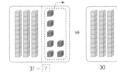 →

37 - 7 = 30

37 - 7   30

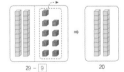 →

29 - 9 = 20

29 - 9   20

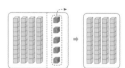 →

45 - 5 = 40

45 - 5   40

40 소마셈 – A6

🌱 □ 안에 알맞은 수를 써넣으세요.

35 - 5 = 30   43 - 3 = 40

66 - 6 = 60   46 - 6 = 40

54 - 4 = 50   28 - 8 = 20

78 - 8 = 70   88 - 8 = 80

83 - 3 = 80   67 - 7 = 60

47 - 7 = 40   79 - 9 = 70

3주 – 몇십 만들어 빼기 41

2일차 몇십 만들어 빼기

🌱 그림을 보고 수를 몇십으로 만들어 뺄셈을 해 보세요.

33 - 4 → 29

$$33 - 4 = 33 - 3 - 1 = \boxed{29}$$
　　　　　　　　－3　－1

45 - 7 → 38

$$45 - 7 = 45 - 5 - 2 = \boxed{38}$$
　　　　　　　　－5　－2

TIP
33 - 4 = □ 처럼 일의 자리 수끼리의 차가 적은 경우는 10에서 빼는 방법(10 - 4 + 23)보다 몇십을 만들어 빼는 방법(33 - 3 - 1)으로 계산하면 편리합니다.

42 소마셈 - A6

🌱 그림을 보고 수를 몇십으로 만들어 뺄셈을 해 보세요.

25 - 6 → 19

$$25 - 6 = \boxed{19}$$
　　　　　　－5　－1

36 - 8 → 28

$$36 - 8 = \boxed{28}$$
　　　　　　－6　－2

44 - 6 → 38

$$44 - 6 = \boxed{38}$$
　　　　　　－4　－2

3주 - 몇십 만들어 빼기 **43**

🌱 □안에 알맞은 수를 써넣으세요.

$41 - 2 = \boxed{39}$　　　$45 - 7 = \boxed{38}$
　　　　　－1　　　　　　　　－5　－2

$61 - 2 = \boxed{59}$　　　$52 - 3 = \boxed{49}$

$54 - 6 = \boxed{48}$　　　$23 - 4 = \boxed{19}$

$53 - 5 = \boxed{48}$　　　$36 - 7 = \boxed{29}$

$43 - 6 = \boxed{37}$　　　$34 - 7 = \boxed{27}$

$57 - 8 = \boxed{49}$　　　$71 - 3 = \boxed{68}$

44 소마셈 - A6

3일차 뺄셈 퍼즐

🌱 □안에 알맞은 수를 써넣으세요.

46 → -7 → 39

73 → -4 → 69

54 → -6 → 48

48 → -9 → 39

63 → -5 → 58

77 → -8 → 69

3주 - 몇십 만들어 빼기 **45**

신나는 연산!

올바른 계산 결과가 되도록 길을 그려 보세요.

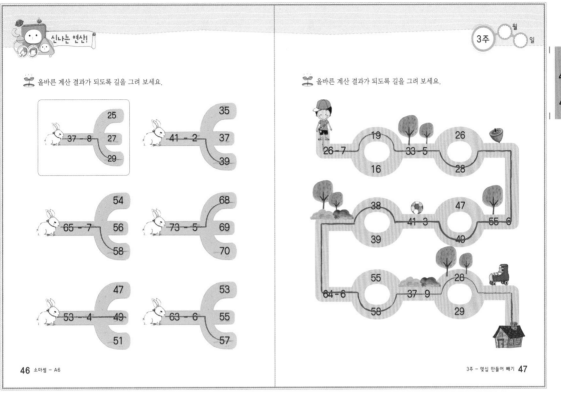

올바른 계산 결과가 되도록 길을 그려 보세요.

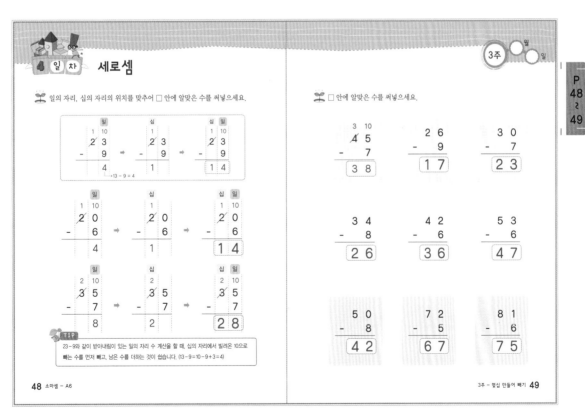

일차 세로셈

일의 자리, 십의 자리의 위치를 맞추어 □ 안에 알맞은 수를 써넣으세요.

□ 안에 알맞은 수를 써넣으세요.

올바른 계산 결과를 찾아 선을 그어 보세요.

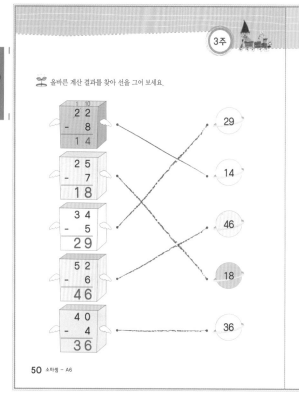

50 소마셈 – A6

5 일 차 문장제

이야기를 읽고, 이번 달 비가 온 날이 며칠인지 구하세요.

정호는 엄마와 뉴스에서 나오는 날씨 예보를 함께 보고 있습니다. 날씨를 알려주는 기상캐스터가 다음과 같이 말했습니다.
"오늘은 7월의 마지막 날인 31일입니다. 오늘도 변함없이 비가 오고 있네요. 이번 달은 비가 참 많이도 왔습니다. 31일 중에 8일만 비가 오지 않았으니까 말이죠."
이번 달에 비가 온 날은 며칠이나 될까요?

식 : 31 - 8 = 23   23 일

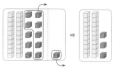

3주 – 몇십 만들어 빼기 51

다음을 읽고 알맞은 뺄셈식을 쓰고, 답을 구하세요.

기옥이는 수학 문제 24개를 풀었습니다. 채점을 해보니 5문제를 틀렸다면 기옥이가 맞은 문제는 몇 개일까요?

식 : 24 - 5 = 19   19 개

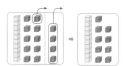

과일가게에 사과가 45개 있습니다. 오늘은 손님이 없어서 사과를 7개 밖에 팔지 못했습니다. 과일가게에 남은 사과는 몇 개일까요?

식 : 45 - 7 = 38   38 개

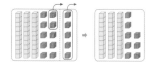

52 소마셈 – A6

다음을 읽고 알맞은 뺄셈식을 쓰고, 답을 구하세요.

가게에 음료수가 44개 있습니다. 오늘 6개를 팔았다면 가게에 남은 음료수는 몇 개일까요?

식 : 44 - 6 = 38   38 개

경준이는 빨간색 도화지와 노란색 도화지를 모두 36장 가지고 있습니다. 그 중 노란색 도화지 7장을 모두 써 버렸다면 남은 빨간색 도화지는 몇 장일까요?

식 : 36 - 7 = 29   29 장

주희는 우표 53장을 모았습니다. 그 중 5장을 잃어버렸다면 주희에게 남은 우표는 몇 장일까요?

식 : 53 - 5 = 48   48 장

3주 – 몇십 만들어 빼기 53

다음을 읽고 알맞은 뺄셈식을 쓰고, 답을 구하세요.

P 54

25명이 탈 수 있는 버스가 한 대 있습니다. 지금 6명이 타고 있다면 앞으로 몇 명이 더 탈 수 있을까요?

식 : 25 - 6 = 19   19 명

오리 37마리가 연못 안에 있습니다. 그 중 9마리가 연못 밖으로 나갔다면 연못 안에 남아있는 오리는 몇 마리일까요?

식 : 37 - 9 = 28   28 마리

식당에 컵이 53개 있습니다. 손님 6명이 컵을 사용했다면 사용하지 않고 남은 컵은 몇 개일까요?

식 : 53 - 6 = 47   47 개

54 소마셈 – A6

10에서 빼기

4주   일 일

P 56 ~ 57

그림을 보고 10에서 먼저 수를 빼서 뺄셈을 해 보세요.

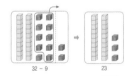

$$32 - 9 = 10 - 9 + 22 = \boxed{23}$$
22 10

$$41 - 8 = 10 - 8 + 31 = \boxed{33}$$
31 10

TIP
32 - 9 = □ 처럼 일의 자리 수끼리의 차가 큰 경우는 몇십을 만들어 빼는 방법(32 - 2 - 7) 보다 10에서 빼는 방법(10 - 9 + 22)으로 계산하면 편리합니다.

56 소마셈 – A6

그림을 보고 10에서 먼저 수를 빼서 뺄셈을 해 보세요.

$$23 - 8 = \boxed{15}$$
13 10

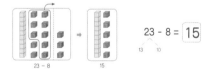

$$31 - 8 = \boxed{23}$$
21 10

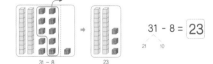

$$42 - 9 = \boxed{33}$$
32 10

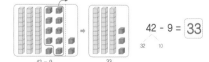

4주 – 10에서 빼기 (2) 57

정답 **117**

P 58 ~ 59

□ 안에 알맞은 수를 써넣으세요.

52 - 7 = [45]   31 - 7 = [24]
 42 10   21 10

42 - 6 = [36]   53 - 7 = [46]

62 - 7 = [55]   73 - 9 = [64]

33 - 8 = [25]   42 - 8 = [34]

55 - 9 = [46]   61 - 5 = [56]

43 - 9 = [34]   35 - 9 = [26]

2일차 수직선과 수 막대

수직선을 보고, □ 안에 알맞은 수를 써넣으세요.

| 48 | 6 |
| 54 | |

54 - 6 = [48]

| 57 | 6 |
| 63 | |

63 - 6 = [57]

| 37 | 9 |
| 46 | |

46 - 9 = [37]

| 5 | 66 |
| 71 | |

71 - 5 = [66]

| 8 | 54 |
| 62 | |

62 - 8 = [54]

P 60 ~ 61

4주 월 일

3일차 뺄셈 퍼즐

수 막대를 보고, □ 안에 알맞은 수를 써넣으세요.

| 39 | 7 |
| 46 | |

46 - 7 = [39]

| 26 | 9 |
| 35 | |

35 - 9 = [26]

| 8 | 49 |
| 57 | |

57 - 8 = [49]

| 67 | 6 |
| 73 | |

73 - 6 = [67]

| 5 | 56 |
| 61 | |

61 - 5 = [56]

알맞은 답을 찾아 선을 그려 보세요.

22 - 8
12 13 14

34 - 8
25 26 27

41 - 8
33 34 35

26 - 7
17 18 19

53 - 9
43 44 45

34 - 9
23 24 25

신나는 연산!

빈칸에 알맞은 수를 써넣으세요.

23 - 7 = 16	52 - 8 = 44
−	−
9	6
=	=
14	46

35 - 9 = 26	43 - 5 = 38
−	−
6	8
=	=
29	35

63 - 6 = 57	42 - 4 = 38
−	−
9	7
=	=
54	35

다람쥐가 호두를 찾을 수 있도록 올바른 계산 결과를 찾아 길을 그려 보세요.

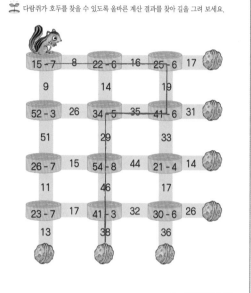

---

4 일차 세로셈

일의 자리, 십의 자리의 위치를 맞추어 □ 안에 알맞은 수를 써넣으세요.

일	십	십 일
2 10	2	2 10
3 4	3 4	3 4
− 7	− 7	− 7
7	2	2 7

14 − 7 = 7

일	십	십 일
1 10	1	1 10
2 4	2 4	2 4
− 8	− 8	− 8
6	1	1 6

일	십	십 일
3 10	3	3 10
4 2	4 2	4 2
− 5	− 5	− 5
7	3	3 7

34 − 7과 같이 받아내림이 있는 일의 자리 수 계산을 할 때, 십의 자리에서 빌려온 10으로 빼는 수를 먼저 빼고, 남은 수를 더하는 것이 쉽습니다. (14 − 7 = 10 − 7 + 4 = 7)

□ 안에 알맞은 수를 써넣으세요.

4 10		
5 2	3 2	4 3
− 4	− 3	− 7
4 8	2 9	3 6

5 6	3 1	4 2
− 8	− 9	− 6
4 8	2 2	3 6

4 7	6 5	7 3
− 8	− 7	− 4
3 9	5 8	6 9

4주

올바른 계산 결과를 찾아 선을 그어 보세요.

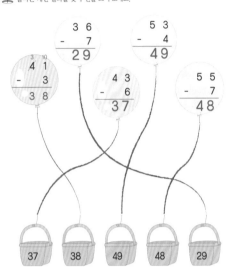

| | | | | |
| 37 | 38 | 49 | 48 | 29 |

66 소마셈 – A6

5 일 차 **문장제**

이야기를 읽고, 상현이가 얻은 점수를 구하세요.

상현이가 영준이네 집에 놀러 갔습니다.
영준이는 상현이를 보자 마자 아빠가 선물로 사주신 과녁맞히기 놀이판을 보여주며 이야기했습니다.
"상현아! 과녁맞히기 놀이 같이 하지 않을래?"
두 사람은 번갈아 가며 여러 번 과녁맞히기 놀이를 했습니다.
영준이는 총 43점을 얻었고, 상현이는 영준이보다 7점이 더 낮았습니다.
상현이가 얻은 점수는 몇 점일까요?

식 : 43 - 7 = 36   **36** 점

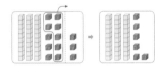

다음을 읽고 알맞은 뺄셈식을 쓰고, 답을 구하세요.

옷장에 양말이 22개 있습니다. 그 중 9개가 낡아서 버리려고 합니다. 남은 양말은 몇 개일까요?

식 : 22 - 9 = 13   **13** 개

지수가 어제 윗몸일으키기를 32번 했습니다. 오늘은 어제보다 7번 적게 했다면 오늘 윗몸일으키기를 몇 번 했을까요?

식 : 32 - 7 = 25   **25** 번

68 소마셈 – A6

다음을 읽고 알맞은 뺄셈식을 쓰고, 답을 구하세요.

꽃집에 장미와 국화가 있습니다. 장미는 41송이가 있고, 국화는 장미보다 4송이 적게 있습니다. 국화는 몇 송이일까요?

식 : 41 - 4 = 37   **37** 송이

엄마가 사과 31개를 사오셨습니다. 그 중 7개를 먹었다면 남은 사과는 몇 개일까요?

식 : 31 - 7 = 24   **24** 개

현수는 어제 줄넘기를 53번 넘었습니다. 오늘은 어제보다 8번 적게 했다면 오늘 현수는 줄넘기를 몇 번 넘었을까요?

식 : 53 - 8 = 45   **45** 번

다음을 읽고 알맞은 뺄셈식을 쓰고, 답을 구하세요.

승현이는 구슬을 63개 가지고 있습니다. 지현이는 승현이보다 9개 적게 가지고 있다면 지현이가 가진 구슬은 몇 개일까요?

식 : 63 - 9 = 54   54 개

공원에 비둘기 42마리가 모여 있습니다. 그 중 6마리가 날아갔다면 남은 비둘기는 몇 마리일까요?

식 : 42 - 6 = 36   36 마리

주경이는 종이학 71마리를 접었습니다. 7마리를 언니에게 주었다면 주경이에게 남은 종이학은 몇 마리일까요?

식 : 71 - 7 = 64   64 마리

 1주차 drill **받아내림이 없는 뺄셈**

□ 안에 알맞은 수를 써넣으세요.

17 - 2 = 15	34 - 3 = 31		
19 - 1 = 18	27 - 2 = 25		
25 - 4 = 21	49 - 2 = 47		
36 - 2 = 34	53 - 1 = 52		
38 - 3 = 35	65 - 5 = 60		
57 - 6 = 51	48 - 4 = 44		
45 - 2 = 43	56 - 5 = 51		

□ 안에 알맞은 수를 써넣으세요.

15 - 4 = 11	27 - 7 = 20
19 - 7 = 12	36 - 4 = 32
22 - 1 = 21	52 - 2 = 50
34 - 3 = 31	39 - 4 = 35
47 - 2 = 45	46 - 5 = 41
26 - 3 = 23	28 - 4 = 24
59 - 5 = 54	67 - 6 = 61

1주차 drill

P 74 ~ 75

□ 안에 알맞은 수를 써넣으세요.

15 - 3 = 12	23 - 1 = 22
18 - 1 = 17	35 - 3 = 32
26 - 5 = 21	48 - 5 = 43
37 - 2 = 35	56 - 3 = 53
48 - 3 = 45	45 - 2 = 43
56 - 2 = 54	57 - 6 = 51
69 - 7 = 62	66 - 4 = 62

□ 안에 알맞은 수를 써넣으세요.

23 - 3 = 20	33 - 2 = 31
27 - 6 = 21	45 - 4 = 41
35 - 4 = 31	58 - 6 = 52
48 - 5 = 43	68 - 4 = 64
57 - 6 = 51	73 - 1 = 72
55 - 4 = 51	55 - 5 = 50
49 - 7 = 42	49 - 2 = 47

74 소마셈 - A6

Drill - 보충학습 75

1주차 drill

P 76 ~ 77

□ 안에 알맞은 수를 써넣으세요.

16 - 3 = 13	28 - 7 = 21
27 - 5 = 22	26 - 5 = 21
39 - 8 = 31	19 - 4 = 15
14 - 3 = 11	27 - 6 = 21
57 - 5 = 52	35 - 3 = 32
66 - 2 = 64	28 - 4 = 24
49 - 7 = 42	59 - 5 = 54

□ 안에 알맞은 수를 써넣으세요.

18 - 4 = 14	36 - 5 = 31
27 - 3 = 24	17 - 2 = 15
35 - 5 = 30	25 - 3 = 22
45 - 4 = 41	28 - 5 = 23
69 - 9 = 60	39 - 6 = 33
48 - 7 = 41	57 - 5 = 52
87 - 6 = 81	77 - 3 = 74

76 소마셈 - A6

Drill - 보충학습 77

1주차

□ 안에 알맞은 수를 써넣으세요.

27 - 7 = 20   35 - 3 = 32

19 - 5 = 14   29 - 6 = 23

28 - 5 = 23   48 - 8 = 40

38 - 7 = 31   18 - 6 = 12

49 - 6 = 43   76 - 6 = 70

58 - 5 = 53   48 - 6 = 42

76 - 4 = 72   57 - 7 = 50

□ 안에 알맞은 수를 써넣으세요.

38 - 5 = 33   18 - 5 = 13

48 - 8 = 40   19 - 3 = 16

27 - 4 = 23   36 - 5 = 31

34 - 4 = 30   49 - 8 = 41

18 - 7 = 11   57 - 6 = 51

46 - 5 = 41   66 - 5 = 61

27 - 4 = 23   74 - 2 = 72

78 소마셈 – A6

Drill – 보충학습 **79**

P 78 ~ 79

2주차   **10에서 빼기 (1)**

□ 안에 알맞은 수를 써넣으세요.

20 - 9 = 11   30 - 2 = 28

20 - 2 = 18   40 - 7 = 33

30 - 5 = 25   50 - 9 = 41

30 - 8 = 22   50 - 3 = 47

50 - 4 = 46   40 - 8 = 32

40 - 3 = 37   30 - 6 = 24

60 - 1 = 59   60 - 5 = 55

□ 안에 알맞은 수를 써넣으세요.

20 - 4 = 16   20 - 2 = 18

20 - 6 = 14   30 - 5 = 25

30 - 1 = 29   30 - 9 = 21

30 - 8 = 22   40 - 4 = 36

40 - 7 = 33   50 - 7 = 43

50 - 3 = 47   60 - 3 = 57

40 - 2 = 38   70 - 8 = 62

80 소마셈 – A6

Drill – 보충학습 **81**

P 80 ~ 81

정답 **123**

정답

2주차

□ 안에 알맞은 수를 써넣으세요.

20 - 7 = 13
20 - 4 = 16

30 - 1 = 29
30 - 3 = 27

30 - 8 = 22
30 - 9 = 21

40 - 5 = 35
50 - 2 = 48

50 - 4 = 46
60 - 8 = 52

50 - 9 = 41
60 - 1 = 59

70 - 2 = 68
70 - 5 = 65

82 소마셈 – A6

□ 안에 알맞은 수를 써넣으세요.

20 - 5 = 15
30 - 3 = 27

30 - 7 = 23
30 - 8 = 22

30 - 9 = 21
40 - 5 = 35

40 - 1 = 39
50 - 4 = 46

40 - 6 = 34
60 - 2 = 58

50 - 2 = 48
60 - 7 = 53

60 - 8 = 52
70 - 6 = 64

Drill – 보충학습 83

2주차

□ 안에 알맞은 수를 써넣으세요.

20 - 8 = 12
50 - 7 = 43

30 - 3 = 27
60 - 1 = 59

30 - 6 = 24
40 - 3 = 37

50 - 5 = 45
60 - 2 = 58

20 - 6 = 14
50 - 9 = 41

40 - 7 = 33
40 - 6 = 34

70 - 6 = 64
40 - 8 = 32

84 소마셈 – A6

□ 안에 알맞은 수를 써넣으세요.

20 - 3 = 17
50 - 5 = 45

20 - 5 = 15
30 - 7 = 23

40 - 4 = 36
30 - 3 = 27

40 - 3 = 37
50 - 6 = 44

30 - 7 = 23
70 - 8 = 62

60 - 6 = 54
80 - 3 = 77

40 - 5 = 35
20 - 9 = 11

Drill – 보충학습 85

2주차

□ 안에 알맞은 수를 써넣으세요.

20 − 6 = 14   20 − 9 = 11

30 − 7 = 23   50 − 5 = 45

40 − 6 = 34   30 − 6 = 24

30 − 1 = 29   40 − 4 = 36

50 − 9 = 41   40 − 7 = 33

40 − 8 = 32   50 − 8 = 42

60 − 6 = 54   70 − 4 = 66

86 소마셈 – A6

□ 안에 알맞은 수를 써넣으세요.

30 − 6 = 24   20 − 2 = 18

20 − 8 = 12   50 − 3 = 47

30 − 4 = 26   60 − 3 = 57

40 − 6 = 34   30 − 8 = 22

50 − 7 = 43   80 − 3 = 77

60 − 2 = 58   60 − 8 = 52

50 − 4 = 46   70 − 9 = 61

Drill – 보충학습 **87**

3주차   몇십 만들어 빼기

□ 안에 알맞은 수를 써넣으세요.

23 − 5 = 18   21 − 4 = 17

14 − 8 = 6   13 − 7 = 6

22 − 9 = 13   25 − 9 = 16

34 − 7 = 27   34 − 8 = 26

41 − 5 = 36   42 − 6 = 36

55 − 6 = 49   44 − 5 = 39

33 − 8 = 25   32 − 6 = 26

88 소마셈 – A6

□ 안에 알맞은 수를 써넣으세요.

$$\begin{array}{r} 2\ 3 \\ -\ \ 8 \\ \hline 1\ 5 \end{array}\qquad \begin{array}{r} 3\ 1 \\ -\ \ 9 \\ \hline 2\ 2 \end{array}\qquad \begin{array}{r} 2\ 2 \\ -\ \ 6 \\ \hline 1\ 6 \end{array}\qquad \begin{array}{r} 3\ 4 \\ -\ \ 7 \\ \hline 2\ 7 \end{array}$$

$$\begin{array}{r} 1\ 2 \\ -\ \ 8 \\ \hline 4 \end{array}\qquad \begin{array}{r} 2\ 5 \\ -\ \ 9 \\ \hline 1\ 6 \end{array}\qquad \begin{array}{r} 3\ 6 \\ -\ \ 8 \\ \hline 2\ 8 \end{array}\qquad \begin{array}{r} 2\ 7 \\ -\ \ 9 \\ \hline 1\ 8 \end{array}$$

$$\begin{array}{r} 3\ 3 \\ -\ \ 4 \\ \hline 2\ 9 \end{array}\qquad \begin{array}{r} 2\ 1 \\ -\ \ 5 \\ \hline 1\ 6 \end{array}\qquad \begin{array}{r} 4\ 3 \\ -\ \ 6 \\ \hline 3\ 7 \end{array}\qquad \begin{array}{r} 4\ 5 \\ -\ \ 7 \\ \hline 3\ 8 \end{array}$$

$$\begin{array}{r} 2\ 2 \\ -\ \ 9 \\ \hline 1\ 3 \end{array}\qquad \begin{array}{r} 3\ 1 \\ -\ \ 7 \\ \hline 2\ 4 \end{array}\qquad \begin{array}{r} 4\ 2 \\ -\ \ 3 \\ \hline 3\ 9 \end{array}\qquad \begin{array}{r} 4\ 1 \\ -\ \ 7 \\ \hline 3\ 4 \end{array}$$

Drill – 보충학습 **89**

3주차

□ 안에 알맞은 수를 써넣으세요.

34 - 8 = 26

22 - 3 = 19

35 - 7 = 28

24 - 6 = 18

31 - 9 = 22

42 - 5 = 37

44 - 7 = 37

23 - 4 = 19

32 - 6 = 26

34 - 5 = 29

42 - 4 = 38

48 - 9 = 39

51 - 6 = 45

53 - 8 = 45

90 소마셈 - A6

□ 안에 알맞은 수를 써넣으세요.

	2 1	2 4	1 3	3 2
-	5	9	8	7
	1 6	1 5	5	2 5

	3 3	3 1	4 2	4 4
-	6	8	6	7
	2 7	2 3	3 6	3 7

	4 3	3 2	2 2	5 4
-	4	3	3	9
	3 9	2 9	1 9	4 5

	5 1	5 3	4 8	4 3
-	6	7	9	8
	4 5	4 6	3 9	3 5

Drill - 보충학습 91

3주차

□ 안에 알맞은 수를 써넣으세요.

35 - 6 = 29

25 - 7 = 18

14 - 5 = 9

22 - 3 = 19

37 - 8 = 29

41 - 4 = 37

53 - 5 = 48

33 - 6 = 27

26 - 7 = 19

42 - 3 = 39

32 - 5 = 27

32 - 4 = 28

28 - 9 = 19

48 - 9 = 39

92 소마셈 - A6

□ 안에 알맞은 수를 써넣으세요.

	2 4	1 5	2 4	4 1
-	7	7	6	3
	1 7	8	1 8	3 8

	4 4	3 2	2 5	3 3
-	5	3	8	4
	3 9	2 9	1 7	2 9

	5 1	3 4	2 5	5 7
-	2	7	6	9
	4 9	2 7	1 9	4 8

	4 6	3 8	4 3	5 2
-	7	9	6	4
	3 9	2 9	3 7	4 8

Drill - 보충학습 93

3주차

□ 안에 알맞은 수를 써넣으세요.

24 - 6 = 18   41 - 2 = 39

35 - 7 = 28   26 - 8 = 18

22 - 5 = 17   35 - 6 = 29

18 - 9 = 9   42 - 4 = 38

46 - 7 = 39   55 - 6 = 49

32 - 3 = 29   47 - 9 = 38

44 - 5 = 39   62 - 4 = 58

94 소마셈 – A6

□ 안에 알맞은 수를 써넣으세요.

```
  2 5        4 3        3 5        4 7
-   6      -   4      -   6      -   9
  1 9        3 9        2 9        3 8

  5 4        3 4        2 1        6 3
-   5      -   5      -   2      -   5
  4 9        2 9        1 9        5 8

  6 2        5 1        2 3        4 8
-   3      -   2      -   6      -   9
  5 9        4 9        1 7        3 9

  5 6        3 3        6 4        5 7
-   7      -   4      -   6      -   8
  4 9        2 9        5 8        4 9
```

Drill – 보충학습 95

4주차   10에서 빼기 (2)

□ 안에 알맞은 수를 써넣으세요.

23 - 9 = 14   31 - 6 = 25

25 - 7 = 18   35 - 9 = 26

31 - 8 = 23   41 - 7 = 34

32 - 6 = 26   42 - 8 = 34

36 - 7 = 29   46 - 9 = 37

42 - 9 = 33   53 - 7 = 46

41 - 4 = 37   52 - 6 = 46

96 소마셈 – A6

□ 안에 알맞은 수를 써넣으세요.

```
  2 1        2 3        3 2        3 3
-   6      -   8      -   9      -   6
  1 5        1 5        2 3        2 7

  2 2        3 1        3 4        3 5
-   7      -   9      -   5      -   7
  1 5        2 2        2 9        2 8

  4 1        4 2        3 1        3 2
-   7      -   6      -   8      -   7
  3 4        3 6        2 3        2 5

  2 4        3 6        2 7        3 8
-   5      -   8      -   9      -   9
  1 9        2 8        1 8        2 9
```

Drill – 보충학습 97

정답

4주차

□ 안에 알맞은 수를 써넣으세요.

25 − 6 = 19

13 − 8 = 5

22 − 8 = 14

31 − 9 = 22

24 − 7 = 17

33 − 6 = 27

41 − 8 = 33

32 − 7 = 25

34 − 9 = 25

41 − 6 = 35

43 − 5 = 38

52 − 6 = 46

55 − 8 = 47

42 − 9 = 33

□ 안에 알맞은 수를 써넣으세요.

```
  2 1      1 8      2 2      1 7
−   4    −   9    −   6    −   8
  1 7        9      1 6        9
```

```
  2 4      3 2      3 5      3 7
−   5    −   3    −   8    −   9
  1 9      2 9      2 7      2 8
```

```
  2 3      3 1      3 4      3 2
−   7    −   8    −   6    −   8
  1 6      2 3      2 8      2 4
```

```
  4 2      4 7      5 2      5 1
−   9    −   8    −   5    −   6
  3 3      3 9      4 7      4 5
```

4주차

□ 안에 알맞은 수를 써넣으세요.

21 − 9 = 12

32 − 6 = 26

20 − 9 = 11

43 − 7 = 36

22 − 8 = 14

31 − 5 = 26

52 − 7 = 45

20 − 7 = 13

22 − 5 = 17

61 − 6 = 55

54 − 9 = 45

21 − 8 = 13

32 − 7 = 25

11 − 8 = 3

□ 안에 알맞은 수를 써넣으세요.

```
  4 2      3 1      2 2      3 3
−   9    −   8    −   6    −   9
  3 3      2 3      1 6      2 4
```

```
  4 2      3 2      7 2      4 1
−   7    −   8    −   5    −   9
  3 5      2 4      6 7      3 2
```

```
  6 1      3 3      2 2      5 1
−   7    −   5    −   8    −   6
  5 4      2 8      1 4      4 5
```

```
  3 3      4 4      4 1      5 2
−   9    −   6    −   8    −   7
  2 4      3 8      3 3      4 5
```

P 102 ~ 103

□ 안에 알맞은 수를 써넣으세요.

32 - 8 = 24   52 - 8 = 44

21 - 7 = 14   30 - 8 = 22

33 - 9 = 24   60 - 6 = 54

41 - 7 = 34   52 - 9 = 43

21 - 9 = 12   33 - 7 = 26

32 - 8 = 24   40 - 9 = 31

42 - 7 = 35   61 - 7 = 54

□ 안에 알맞은 수를 써넣으세요.

2 2	3 2	4 3	5 4
- 9	- 8	- 7	- 9
1 3	2 4	3 6	4 5

4 2	6 1	5 2	3 1
- 8	- 8	- 6	- 5
3 4	5 3	4 6	2 6

4 1	5 4	3 0	8 1
- 8	- 9	- 9	- 5
3 3	4 5	2 1	7 6

6 0	5 4	4 2	3 3
- 6	- 9	- 7	- 6
5 4	4 5	3 5	2 7